D1245808

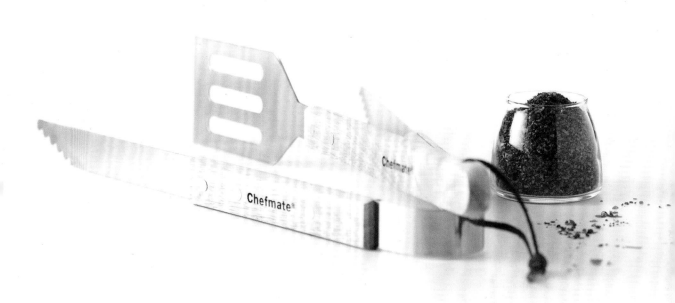

Éditrice : Caty Bérubé

Directrice de production : Julie Doddridge

Chef d'équipe rédaction/révision : Isabelle Roy
Chef d'équipe infographie : Lise Lapierre
Chef cuisinier : Richard Houde

Coordonnatrice à l'édition : Chantal Côté
Auteurs : Caty Bérubé, Richard Houde, Annie Lavoie et Raphaële St-Laurent Pelletier.
Réviseure : Raphaëlle Mercier-Tardif
Concepteurs graphiques : Sonia Barbeau, Paul Francœur, Marie-Christine Langlois,
Ariane Michaud-Gagnon et Claudia Renaud.
Infographiste Web et imprimés : Mélanie Duguay
Spécialiste en traitement d'images et calibration photo : Yves Vaillancourt
Photographes : Sabrina Belzil, Rémy Germain et Martin Houde.
Stylistes culinaires : Louise Bouchard, Laurie Collin et Christine Morin.

Directeur de la distribution : Marcel Bernatchez
Distribution : Éditions Pratico-Pratiques et Messageries ADP.

Impression : Solisco

Dépôt légal : 2ᵉ trimestre 2014
Bibliothèque et Archives nationales du Québec
Bibliothèque et Archives Canada
ISBN 978-2-89658-619-6

Gouvernement du Québec - Programme de crédit d'impôt pour l'édition de livres - Gestion SODEC

 Pratico pratiques

1685, boulevard Talbot, Québec (QC) G2N 0C6
Tél. : 418 877-0259. Sans frais : 1 866 882-0091
Téléc. : 418 849-4595
www.pratico-pratiques.com

Commentaires et suggestions : info@pratico-pratiques.com

Les plaisirs gourmands de Caty

Barbecue
Variations à succès sur le gril

Table des matières

Mes plaisirs gourmands
Barbecue :
le goût du bonheur

Un ciel bleu, un soleil radieux, des enfants qui s'amusent dans la piscine, des éclats de rire, des amis avec qui échanger en buvant un bon p'tit rosé… et une agréable odeur de viande qui cuit sur le gril : il n'en faut pas plus pour me combler de bonheur ! Si on me demandait de faire mon top cinq des plus grands petits plaisirs de la vie, celui de partager un repas autour d'un barbecue en ferait certainement partie. Qu'il s'agisse d'un souper de semaine en famille ou d'une réception entre amis sur la terrasse le weekend, pour moi, rien n'évoque autant la convivialité et la simplicité.

Vous éprouvez comme moi un immense plaisir à cuisiner sur le gril ? Vous avez fort probablement besoin de renouveler vos classiques ! C'est pour vous aider à le faire que l'équipe de *Les plaisirs gourmands de Caty* a créé ce livre. En plus de nombreux trucs et conseils, ce dernier rassemble les 100 meilleures recettes pour le barbecue. Parmi celles-ci, des bouchées et des tapas grillées qui feront un *hit* lorsque vous recevrez sur la terrasse, des grands classiques (brochettes, biftecks, burgers), des pièces de viande, de volaille et de poisson à mariner ou à faire cuire sur la planche, des papillotes de toutes sortes, des salades hautes en couleur ainsi qu'une sélection de repas express. Ceux qui font attention à leur ligne y trouveront aussi leur compte, car une section complète leur propose des recettes allégées. Quant à ceux qui aiment sortir des sentiers battus, ils seront aussi servis, entre autres avec une recette de wapiti et une autre d'ananas grillé au rhum !

Savourez l'été avec plaisir !

Bon barbecue !

Caty

Simplement barbecue

Avec l'arrivée des beaux jours se pointe aussi l'envie de manger des grillades. C'est le temps de sortir votre barbecue et d'inviter famille et amis à célébrer la fin de l'hiver sous le signe de la convivialité et de la simplicité.

En plus de sa saveur et des ses arômes uniques, la cuisine sur le barbecue est aussi reconnue pour nous faciliter la tâche à l'heure des repas. Pièce de viande, morceau de poisson, brochette de poulet ou de fruits de mer n'ont qu'à faire un petit tour sur le gril avant de se retrouver dans notre assiette. Pas de vaisselle, pas de chichi! En les accompagnant d'une salade ou de légumes grillés, nous avons droit à un repas complet prêt en moins de deux.

Vous humez déjà l'odeur délectable des viandes, volailles, légumes, poissons et fruits de mer grillés? Vous avez l'eau à la bouche à l'idée de mordre dans un bon bifteck tendre et juteux tout juste passé sur le gril? Avant d'allumer votre barbecue pour assouvir vos envies, prenez le temps de feuilleter les pages qui suivent. Vous y trouverez une foule de conseils, d'astuces et d'idées pour vous aider à réussir votre barbecue.

Modes de cuisson

Cuisson directe

La cuisson directe consiste à faire griller les aliments directement au-dessus de la source de chaleur. Idéal pour les petites pièces de viande, de volaille ou de poisson qui exigent moins de 25 minutes de cuisson.

Cuisson indirecte

Pour ce type de cuisson, on allume un seul brûleur à puissance moyenne, on dépose les aliments du côté du brûleur éteint et on ferme le couvercle. Idéal pour les côtes levées, les gigots d'agneau, les poulets entiers ou les aliments qui demandent plus de 25 minutes de cuisson.

Conseils pour réussir votre barbecue

1. Nettoyer la grille après chaque usage. En faisant chauffer le barbecue à feu vif, vous ferez calciner les résidus d'aliments et vous n'aurez plus qu'à frotter la grille avec une brosse métallique conçue à cet effet.

2. Enduire la grille d'huile avant la cuisson. Ceci empêchera les aliments de coller à la grille. Utilisez de l'huile d'olive, de tournesol ou de canola.

3. Préchauffer le barbecue. Pour un modèle au gaz, prévoyez entre 10 et 15 minutes. Pour un gril au charbon, il faudra attendre environ 45 minutes.

4. Faire mariner la viande. Toute viande s'attendrit et devient plus goûteuse lorsque marinée. La durée du marinage varie selon les aliments. Pour les viandes rouges, faire mariner de 4 à 12 heures, pour la volaille et le porc, de 4 à 6 heures et pour le poisson et les fruits de mer, de 30 à 60 minutes.

5. Sortir la viande d'avance. Si vous cuisinez des biftecks, sortez-les du frigo 30 minutes avant de les cuire sur le gril. Cela aura pour effet d'abaisser la température interne de la viande et d'éviter que votre steak soit cuit à l'extérieur et froid à l'intérieur... surtout si vous l'aimez bleu.

6. Faire preuve de patience. Même si vous êtes pressé, n'appuyez pas sur la viande en cours de cuisson, car bien qu'elle cuira plus vite, elle perdra aussi sa tendreté en laissant son jus s'échapper.

7. Vérifier la température de la viande. Servez-vous d'un thermomètre pendant la cuisson afin de savoir si votre viande est assez cuite. Pour le bœuf, le veau et l'agneau (mi-saignant), le thermomètre à cuisson devrait indiquer 63 °C (145 °F), pour le porc, 71 °C (160 °F), pour la volaille en morceaux ou hachée, 74 °C (165 °F) et pour la viande hachée de bœuf, de veau, d'agneau et de porc, 71 °C (160 °F).

8. Faire reposer la viande. Une fois qu'ils sont cuits, laissez biftecks, filets de porc et agneau reposer loin de la source de chaleur, couverts de papier d'aluminium. Cela permettra au jus de se répandre dans la chair et ainsi d'assurer un max de tendreté. Cette étape n'est pas applicable aux poissons et volailles.

Quel vin choisir pour accompagner nos grillades?

Quoi de plus agréable que de recevoir les amis autour d'un barbecue par une belle journée d'été? Pour accroître ce plaisir, rien de tel que d'accompagner notre repas d'un bon vin. Mais quoi boire avec des mets cuisinés sur le gril?

Avec les viandes blanches

On opte souvent pour un vin blanc. Mais sachez que le vin rouge peut aussi très bien accompagner la volaille, le porc et le veau. Ces derniers offrent une multitude d'accords possibles. Si vous préférez le vin blanc, choisissez-en un dont la texture riche en bouche se mariera parfaitement à celle de la viande, comme un chardonnay ou un viognier, par exemple. Si vous êtes un inconditionnel du rouge, tournez-vous alors vers des vins légers, fruités et gouleyants tels que le pinot noir, le barbera d'Asti ou le valpolicella, dont la texture soutiendra les saveurs de la viande sans toutefois prendre le dessus. Et si vous souhaitez surprendre vos invités, osez un rosé sec pour escorter de bonnes brochettes de porc ou des poitrines de poulet grillées.

Avec les viandes rouges

D'abord, il faut savoir que le degré de cuisson de votre viande rouge peut appeler un accord de vin différent. Par exemple, un vin rouge corsé et boisé (cabernet-sauvignon, syrah, malbec) fera merveille avec une viande saignante. Les tanins de ce type de vin s'assoupliront au contact du sang de la viande, tout en s'alliant à l'agréable saveur de fumée (« empyreumatique ») propre aux viandes grillées sur le barbecue. Si vous préférez votre viande bien cuite, optez plutôt pour des vins rouges souples (merlot, grenache). Leurs tanins soyeux se durciront légèrement au contact de ces chairs à la texture plus sèche.

5 idées savoureuses

1 Remplacez l'eau dans vos papillotes par du vin, du jus de fruits, de la bière, de l'huile aromatisée, du vinaigre de vin, de la sauce ou du bouillon.

2 Plutôt que de faire tremper vos brochettes en bois dans l'eau, faites-les tremper dans du vin, du porto, de la bière ou du thé. Pendant la cuisson, elles diffuseront l'arôme du liquide choisi à vos cubes de viande, de volaille, de poisson ou de légumes.

3 Vous cuisinez sur un gril au charbon? Ajoutez un arôme d'herbes fumées à vos aliments en saupoudrant les braises de laurier, de thym ou de romarin.

4 Pour conférer un bon goût de fumée à vos grillades, procurez-vous des copeaux de bois pour barbecue (offerts en quincaillerie en différentes essences). Une heure avant de faire cuire vos aliments, plongez les copeaux dans

l'eau. Ensuite, déposez-les dans une papillote en papier d'aluminium que vous placerez sous la grille de votre barbecue. Pour un modèle au charbon, dispersez les copeaux humides directement sur les braises.

5 Pendant la cuisson, badigeonnez votre viande de votre sauce préférée. En plus de l'aider à rester tendre et à ne pas s'assécher, elle la rendra plus savoureuse. Allez-y sans retenue!

L'abc des poivrons grillés

Verts, jaunes, rouges ou orangés, les poivrons gagnent beaucoup en saveur lorsqu'ils sont grillés.

Comment les cuire sur le gril?

Après avoir préchauffé le barbecue à intensité moyenne-élevée, déposez vos poivrons entiers sur la grille, puis fermez le couvercle. Laissez griller jusqu'à ce que la peau décolle et noircisse (environ 20 minutes), en prenant soin de retourner les poivrons à quelques reprises.

Comment les peler?

Laissez-les tiédir pendant environ 15 minutes dans un sac hermétique, puis pelez avec vos doigts. Grâce à l'effet de la vapeur, la peau des poivrons sera beaucoup plus facile à retirer.

Comment les déguster?

- **Dans un burger ou dans un sandwich:** remplacez les tomates par quelques lanières de poivrons grillés... ça vous changera!

- **En accompagnement:** mélangez des poivrons grillés de toutes les couleurs à des olives Kalamata, des tomates en dés, de la feta et du basilic, puis arrosez d'huile d'olive et de vinaigre balsamique. Une salade grecque nouveau genre qui sera délicieuse pour accompagner vos grillades.

- **Sur une pizza:** avec du poulet grillé, de fines tranches de courgettes et du cari... un vrai régal!

- **En antipasto:** mélangez avec des cœurs d'artichauts, des cœurs de palmier tranchés, des tomates raisins et des champignons grillés, puis ajoutez du basilic et de l'ail fraîchement hachés. Arrosez de vinaigre balsamique et d'huile d'olive. Excellente entrée!

Astuces pour des burgers plus santé

- **Ajoutez des fibres et des oméga-3** en mélangeant du germe de blé ou des graines de lin fraîchement moulues à vos boulettes de viande.

- **Optez pour des pousses** plutôt que pour des feuilles de laitue. Ces dernières offrent un concentré de nutriments et leur goût est similaire à celui du légume mûr (brocoli, maïs, radis, etc.).

- **Remplacez la mayo** par du houmous, de la crème sure ou du yogourt nature à faible teneur en gras.

- **Préférez les pains à base de grains entiers** afin d'augmenter votre apport en fibres alimentaires.

- **Évitez les trop grosses galettes.** En temps normal, 100 g de viande (ou de substitut) devraient suffire.

Recevoir sur la terrasse

Quoi de mieux qu'un repas en famille ou entre amis sur la terrasse pour donner le ton à la saison estivale ? L'été, c'est la chaleur, le soleil et... le barbecue ! Voici quelques recettes simples de bouchées et de tapas grillées pour ravir les invités et se donner un avant-goût des vacances !

Brochettes de crevettes

Préparation : 20 minutes — **Marinage :** 1 heure
Cuisson : 4 minutes — **Quantité :** 12 brochettes

36	crevettes moyennes (calibre 31/40), crues et décortiquées

Pour la marinade :

60 ml	(¼ de tasse) d'huile d'olive
30 ml	(2 c. à soupe) de coriandre hachée
15 ml	(1 c. à soupe) de ciboulette hachée
15 ml	(1 c. à soupe) de gingembre haché
15 ml	(1 c. à soupe) d'ail haché
15 ml	(1 c. à soupe) de jus de citron
2,5 ml	(½ c. à thé) de pâte de cari rouge

—

1. Dans un bol, fouetter les ingrédients de la marinade. Verser dans un sac hermétique et ajouter les crevettes. Laisser mariner 1 heure au frais.

2. Au moment de la cuisson, préchauffer le barbecue à puissance moyenne-élevée. Assembler 12 brochettes en piquant 3 crevettes sur chacune d'elles.

3. Sur la grille chaude et huilée du barbecue, cuire les brochettes 2 minutes de chaque côté. Servir avec la trempette (voir recette ci-dessous).

—

J'aime avec...

Trempette à la lime

Dans un bol, mélanger 180 ml (¾ de tasse) de crème sure avec 30 ml (2 c. à soupe) de coriandre hachée, 15 ml (1 c. à soupe) de jus de lime, 15 ml (1 c. à soupe) de miel et 2,5 ml (½ c. à thé) de pâte de cari rouge.

Pétoncles grillés, trempette au basilic

Préparation : 10 minutes — **Cuisson :** 2 minutes
Quantité : 12 bouchées

Pour la trempette :

125 ml	(½ tasse) de crème sure
30 ml	(2 c. à soupe) de basilic émincé
30 ml	(2 c. à soupe) de parmesan râpé
10 ml	(2 c. à thé) de zestes de lime
	Sel et poivre au goût

Pour les pétoncles :

12	tranches de bacon cuites
12	pétoncles moyens (calibre 20/30)

—

1. Dans un bol, mélanger les ingrédients de la trempette. Réfrigérer jusqu'au moment de servir.

2. Enrouler une tranche de bacon autour de chaque pétoncle et fixer à l'aide d'un cure-dent.

3. Au moment de la cuisson, préchauffer le barbecue à puissance moyenne-élevée. Sur la grille chaude et huilée, cuire les pétoncles 1 minute de chaque côté. Servir avec la trempette.

—

Bouchées de saumon fumé à la feta

Préparation : 10 minutes
Quantité : 12 bouchées

½	baguette de pain
1	paquet de saumon fumé de 140 g
15 ml	(1 c. à soupe) de câpres
	Quelques rondelles d'oignon rouge

Pour la tartinade :

180 ml	(¾ de tasse) de feta
60 ml	(¼ de tasse) de crème sure
15 ml	(1 c. à soupe) de noix de pin
15 ml	(1 c. à soupe) d'aneth haché
15 ml	(1 c. à soupe) de zestes de citron
5 ml	(1 c. à thé) d'ail
	Sel et poivre au goût

—

1. Dans le contenant du robot culinaire, déposer les ingrédients de la tartinade. Mélanger jusqu'à l'obtention d'une préparation onctueuse. Réfrigérer.

2. Préchauffer le barbecue à puissance moyenne-élevée. Couper la demi-baguette en deux sur l'épaisseur. Sur la grille chaude et huilée, griller la mie du pain 1 minute.

3. Au moment de servir, étaler la tartinade sur le pain et couper en 12 portions. Garnir chaque portion d'une tranche de saumon fumé, de câpres et de rondelles d'oignon rouge.

—

Bruschettas à l'artichaut grillé et aïoli

Préparation : 10 minutes — **Quantité :** 12 bouchées

Pour l'aïoli :

125 ml	(½ tasse) de mayonnaise
30 ml	(2 c. à soupe) de persil haché
15 ml	(1 c. à soupe) d'ail haché
	Sel et poivre au goût

Pour les bruschettas :

1	boîte de cœurs d'artichauts de 398 ml, égouttés
80 ml	(⅓ de tasse) d'huile d'olive
30 ml	(2 c. à soupe) de ciboulette hachée
12	tranches de pain baguette de 1 cm (½ po) d'épaisseur

—

1. Dans un bol, mélanger les ingrédients de l'aïoli.

2. Couper les artichauts en deux sur la longueur, puis les assécher à l'aide de papier absorbant.

3. Dans un autre bol, mélanger l'huile avec la ciboulette et en badigeonner les tranches de pain. Déposer les cœurs d'artichauts dans le bol contenant le reste de l'huile et bien les enrober.

4. Préchauffer le barbecue à puissance moyenne-élevée. Sur la grille chaude et huilée, griller les tranches de pain et les artichauts 1 minute de chaque côté.

5. Tartiner les croûtons d'aïoli et garnir d'un demi-artichaut.

—

Pilons de poulet du Sud-Ouest

Préparation : 15 minutes — **Marinage :** 1 heure
Cuisson : 20 minutes — **Quantité :** 16 pilons

30 ml	(2 c. à soupe) d'épices cajun	
10 ml	(2 c. à thé) d'ail haché	
30 ml	(2 c. à soupe) d'huile de canola	
60 ml	(¼ de tasse) de ketchup épicé	
15 ml	(1 c. à soupe) de cassonade	
16	pilons de poulet sans peau	
—		

1. Dans un grand bol, mélanger les épices cajun avec l'ail, l'huile, le ketchup et la cassonade.

2. Ajouter les pilons de poulet et remuer pour bien les enrober. Laisser mariner 1 heure au réfrigérateur.

3. Au moment de la cuisson, préchauffer le barbecue à puissance élevée.

4. Déposer les pilons sur la grille chaude et huilée du barbecue. Diminuer la puissance de cuisson à intensité moyenne. Faire griller les pilons de 20 à 30 minutes, en les retournant à plusieurs reprises en cours de cuisson.

—

Mini-brochettes de Doré-mi et melons

Préparation : 15 minutes — **Cuisson :** 8 minutes
Quantité : 16 mini-brochettes

½	cantaloup	
½	melon miel	
1	paquet de fromage halloumi (de type Doré-mi), coupé en 16 cubes de 1,25 cm (¾ de po)	
30 ml	(2 c. à soupe) d'huile d'olive	
10 ml	(2 c. à thé) de thym haché	
5 ml	(1 c. à thé) de romarin haché	
	Sel et poivre au goût	
—		

1. Préchauffer le barbecue à puissance moyenne.

2. À l'aide d'une cuillère parisienne, former 16 perles de cantaloup et 16 perles de melon miel.

3. Sur chaque mini-brochette, piquer une perle de cantaloup, un cube de fromage et une perle de melon miel.

4. Dans un bol, mélanger l'huile avec le thym, le romarin et l'assaisonnement.

5. Badigeonner les brochettes avec ce mélange. Faire griller sur le barbecue de 8 à 10 minutes, en retournant les brochettes de temps à autre.

—

Tapas aux tomates et fromage de chèvre

Préparation : 20 minutes — **Cuisson :** 8 minutes — **Quantité :** 16 bouchées

30 ml	(2 c. à soupe) d'huile d'olive	16	mini-pitas	
30 ml	(2 c. à soupe) d'échalotes sèches hachées	3	tomates coupées en 16 rondelles	
30 ml	(2 c. à soupe) de basilic émincé	2	bûchettes de fromage de chèvre de 125 g chacune, coupées en 16 tranches	
	Poivre du moulin au goût			
		—		

1. Préchauffer le barbecue à puissance moyenne.

2. Dans un bol, mélanger l'huile d'olive avec les échalotes, le basilic et le poivre.

3. Déposer les mini-pitas sur une plaque de cuisson en aluminium conçue pour le barbecue.

4. Garnir chaque mini-pita d'une rondelle de tomate et d'une tranche de fromage. Arroser d'un filet d'huile parfumée.

5. Déposer la plaque de cuisson sur la grille du barbecue. Fermer le couvercle et cuire de 8 à 10 minutes, jusqu'à ce que le fromage soit légèrement fondu.

—

Maïs grillés sur brochettes

Préparation : 15 minutes — **Cuisson :** 4 minutes — **Quantité :** 4 portions

125 ml	(½ tasse) de beurre ramolli
30 ml	(2 c. à soupe) de persil haché
15 ml	(1 c. à soupe) de marjolaine hachée
15 ml	(1 c. à soupe) de zestes de lime
5 ml	(1 c. à thé) d'ail haché
4	épis de maïs coupés en quatre morceaux chacun
—	

1. Préchauffer le barbecue à puissance moyenne.

2. Dans un bol, mélanger le beurre avec les fines herbes, les zestes de lime et l'ail.

3. Badigeonner les morceaux de maïs de beurre parfumé. Le reste du beurre se conserve de 2 à 3 semaines au réfrigérateur dans un contenant hermétique.

4. Piquer chaque morceau de maïs sur une brochette de bois.

5. Cuire sur le barbecue de 4 à 6 minutes.

—

Légumes grillés à la méditerranéenne

Préparation : 20 minutes — **Cuisson :** 15 minutes — **Quantité :** de 4 à 6 portions

1	poivron rouge
1	poivron orange
1	petit oignon rouge
1	bulbe de fenouil
1	petite aubergine
2	courgettes
45 ml	(3 c. à soupe) de basilic haché
	Poivre du moulin au goût

Pour la marinade :

60 ml	(¼ de tasse) d'huile d'olive
15 ml	(1 c. à soupe) de thym haché
15 ml	(1 c. à soupe) de zestes de citron
15 ml	(1 c. à soupe) d'ail haché
15 ml	(1 c. à soupe) de graines de fenouil
10 ml	(2 c. à thé) de romarin haché
	Sel et piment d'Espelette au goût

—

1. Préchauffer le barbecue à puissance moyenne-élevée.

2. Couper les poivrons, l'oignon rouge et le bulbe de fenouil en quartiers. Tailler l'aubergine en tranches et les courgettes en deux sur la longueur.

3. Dans un saladier, mélanger les ingrédients de la marinade.

4. Ajouter les légumes dans le saladier et remuer. Égoutter les légumes en prenant soin de réserver la marinade.

5. Sur la grille chaude et huilée du barbecue, déposer le fenouil et cuire 5 minutes.

6. Déposer le reste des légumes sur la grille et prolonger la cuisson de 10 minutes.

7. Au moment de servir, déposer les légumes dans une assiette de service et napper de la marinade réservée. Parsemer de basilic et de poivre.

—

Trio de saucisses

Préparation : 20 minutes — **Cuisson :** 10 minutes — **Quantité :** 4 portions

3	saucisses italiennes piquantes
3	saucisses de Toulouse
3	saucisses aux tomates séchées
15 ml	(1 c. à soupe) de vinaigre de cidre
60 ml	(¼ de tasse) de sauce chili
15 ml	(1 c. à soupe) de mélasse

—

1. Préchauffer le barbecue à puissance élevée.

2. Déposer les saucisses dans une casserole. Couvrir d'eau froide et porter à ébullition. Retirer du feu et égoutter.

3. Dans un bol, mélanger le vinaigre de cidre avec la sauce chili et la mélasse. Ajouter les saucisses et remuer pour bien les enrober.

4. Déposer les saucisses sur la grille chaude et huilée du barbecue. Diminuer la puissance de cuisson à intensité moyenne. Cuire de 10 à 15 minutes, jusqu'à ce que les saucisses soient dorées.

5. Retirer du barbecue. Laisser tiédir et couper chaque saucisse en trois.

—

Mini-burgers de porc et veau au pesto

Préparation : 25 minutes — Réfrigération : 30 minutes — Cuisson : 6 minutes — Quantité : 8 mini-burgers

8   mini-pains ciabatta

Pour les galettes :

225 g   (½ lb) de porc haché mi-maigre

225 g   (½ lb) de veau haché mi-maigre

60 ml   (¼ de tasse) de parmesan râpé

45 ml   (3 c. à soupe) d'huile d'olive

30 ml   (2 c. à soupe) de persil haché

10 ml   (2 c. à thé) d'ail haché

5 ml   (1 c. à soupe) de thym haché

½   petit oignon rouge haché

Sel et poivre au goût

Pour la sauce :

80 ml   (⅓ de tasse) de mayonnaise

30 ml   (2 c. à soupe) de pesto aux tomates séchées

Pour la garniture :

4   tranches de fromage suisse coupées en quatre

—

1. Dans un bol, mélanger les ingrédients des galettes. Réfrigérer 30 minutes.

2. Au moment de la cuisson, préchauffer le barbecue à puissance moyenne-élevée.

3. Dans un bol, mélanger les ingrédients de la sauce. Réfrigérer.

4. Avec le mélange à la viande, façonner huit galettes de format légèrement plus grand que les pains.

5. Sur la grille chaude et huilée du barbecue, cuire les galettes 3 minutes de chaque côté, jusqu'à ce que l'intérieur de la chair ait perdu sa teinte rosée. Sur la grille supérieure du barbecue, griller les pains 1 minute.

6. Garnir chacun des mini-ciabattas de sauce, d'une galette et de deux morceaux de fromage.

—

Les incontournables

Quand on a envie de repas 100 % satisfaction,
les grands classiques du gril sont tout désignés.
Brochettes, biftecks, burgers... on fait le plein
de grillades de viandes tendres pour le plus
grand bonheur de toute la tablée !

Brochettes de poulet aux ananas, sauce barbecue

Préparation : 15 minutes — **Cuisson :** 12 minutes — **Quantité :** 4 portions

1	poivron rouge
½	ananas
1	petit oignon rouge
160 ml	(¾ de tasse) de sauce barbecue à l'érable
680 g	(1 ½ lb) de poitrines de poulet sans peau, coupées en cubes
60 ml	(¼ de tasse) de ketchup

—

1. Préchauffer le barbecue à puissance moyenne-élevée.

2. Couper le poivron, l'ananas et l'oignon rouge en cubes.

3. Dans un bol, verser la moitié de la sauce barbecue. Ajouter les cubes de poivron, d'ananas et d'oignon rouge. Remuer pour bien enrober de sauce et transférer dans une assiette. Répéter l'opération avec les cubes de poulet.

4. Piquer les cubes de poulet, de poivron, d'ananas et d'oignon rouge sur quatre brochettes en les faisant alterner.

5. Sur la grille chaude et huilée du barbecue, cuire les brochettes de 12 à 15 minutes en les retournant de temps en temps.

6. Dans une casserole, chauffer le reste de la sauce barbecue avec le ketchup de 1 à 2 minutes. Servir avec les brochettes.

—

J'aime parce que... C'est simple et rapide !

Une recette facile à réaliser, des ingrédients simples et peu nombreux, une combinaison savoureuse... Voilà le secret de la réussite de ce repas festif cuisiné sur le barbecue. La preuve qu'il n'est pas nécessaire d'avoir une liste d'ingrédients particulièrement élaborée pour épater nos convives !

Ailes de poulet, sauce aigre-douce

Préparation : 10 minutes — **Cuisson :** 20 minutes — **Quantité :** de 4 à 6 portions

32	ailes de poulet

Pour la sauce :

125 ml	(½ tasse) de mélasse
80 ml	(⅓ de tasse) de ketchup
60 ml	(¼ de tasse) de vinaigre balsamique
15 ml	(1 c. à soupe) de paprika fumé
10 ml	(2 c. à thé) d'ail haché
1,25 ml	(¼ de c. à thé) de piment de Cayenne

—

1. Préchauffer le barbecue à puissance moyenne-élevée.

2. Dans un grand bol, mélanger les ingrédients de la sauce.

3. Ajouter les ailes dans le bol et remuer afin de bien les enrober de sauce.

4. Déposer les ailes sur un plateau en aluminium. Déposer sur la grille chaude et cuire de 20 à 25 minutes, en retournant les ailes quelques fois en cours de cuisson.

—

J'aime avec...

Salade de chou et mangue

Dans un saladier, mélanger 125 ml (½ tasse) de yogourt nature avec 15 ml (1 c. à soupe) de moutarde à l'ancienne, 15 ml (1 c. à soupe) de miel et 60 ml (¼ de tasse) de persil haché. Ajouter 1 sac de salade de chou de 450 g (1 lb) et ½ mangue pelée et coupée en dés. Saler, poivrer et remuer.

Côtes levées
au parfum de barbecue

Préparation : 15 minutes — **Marinage :** 8 heures
Cuisson : 1 heure 5 minutes — **Quantité :** 4 portions

3 litres	(12 tasses) d'eau
2,5 kg	(environ 5 ½ lb) de côtes levées
3	gousses d'ail
1	oignon émincé
1	carotte émincée
1	feuille de laurier
	Sel et poivre au goût

Pour la sauce :

250 ml	(1 tasse) de sauce barbecue à l'érable
15 ml	(1 c. à soupe) de moutarde sèche
10 ml	(2 c. à thé) de thym haché
	Piment de Cayenne au goût

—

1. Dans une casserole, porter à ébullition l'eau avec les côtes levées, l'ail, l'oignon, la carotte et le laurier. Saler et poivrer. Couvrir et cuire 45 minutes à feu moyen. Égoutter.

2. Dans un bol, mélanger les ingrédients de la sauce.

3. Badigeonner les côtes levées avec la moitié de cette préparation. Laisser mariner de 8 à 12 heures au frais. Réfrigérer le reste de la sauce.

4. Au moment de la cuisson, préchauffer le barbecue à puissance moyenne.

5. Déposer les côtes levées dans un plat de cuisson en aluminium. Éteindre un brûleur et placer le plat de cuisson du côté du brûleur éteint. Cuire de 20 à 25 minutes à chaleur indirecte, en retournant les côtes levées à mi-cuisson. Badigeonner en cours de cuisson avec le reste de la sauce.

—

LE SAVIEZ-VOUS ?
—

La cuisson indirecte

La cuisson indirecte au barbecue est fort simple : il s'agit de préchauffer normalement le gril, puis d'éteindre l'un des brûleurs. On dépose ensuite l'aliment à cuire au-dessus du brûleur éteint. Parce qu'elle utilise l'air chaud qui circule, cette méthode de cuisson est idéale pour les viandes qui n'ont pas à être saisies. Bien que la cuisson indirecte requiert plus de temps que la méthode traditionnelle, elle comporte un avantage : le gras de la viande ne tombe pas sur la flamme, évitant ainsi une fumée nocive pour la santé.

Filets mignons au brie et vin rouge

Préparation : 15 minutes — **Marinage :** 6 heures
Cuisson : 20 minutes — **Quantité :** 4 portions

4	filets mignons de bœuf d'environ 5 cm (2 po) d'épaisseur
4	tranches de brie avec la croûte

Pour la marinade :

410 ml	(1 ⅔ tasse) de vin rouge
180 ml	(¾ de tasse) de sauce Worcestershire
45 ml	(3 c. à soupe) de miel
30 ml	(2 c. à soupe) de gingembre râpé
15 ml	(1 c. à soupe) d'ail haché
2	carottes coupées en rondelles
1	oignon émincé
	Sel et poivre au goût

—

1. Dans un bol, mélanger les ingrédients de la marinade. Si désiré, réserver 125 ml (½ tasse) de marinade pour les pommes de terre grelots et asperges grillées (voir recette ci-dessous).

2. Déposer les filets mignons dans le bol contenant la marinade. Laisser mariner 6 heures au frais en remuant de temps en temps.

3. Au moment de la cuisson, préchauffer le barbecue à puissance moyenne-élevée.

4. Égoutter la viande en prenant soin de réserver la marinade. Sur la grille huilée du barbecue, cuire les filets mignons 8 minutes de chaque côté pour une cuisson saignante-à-point. Transférer dans une assiette et déposer une tranche de brie sur chacun des filets. Laisser reposer 5 minutes.

5. Pendant ce temps, chauffer la marinade réservée à feu moyen jusqu'à ce que le liquide ait réduit de moitié. À l'aide d'un mélangeur à main, réduire en une sauce homogène.

6. Au moment de servir, napper les filets mignons de sauce.

—

J'aime avec...

Pommes de terre grelots et asperges grillées

Déposer 16 pommes de terre grelots sur une grande feuille de papier d'aluminium. Arroser avec 125 ml (½ tasse) de marinade (voir recette ci-dessus). Replier la feuille pour former une papillote hermétique. Déposer sur la grille du barbecue et cuire 20 minutes à puissance moyenne-élevée. À l'aide d'un économe, tailler 1 botte d'asperges en rubans. Déposer sur la grille du barbecue et cuire 10 secondes. Dans un bol, mélanger les pommes de terre grelots avec les asperges. Égoutter et servir avec les filets mignons.

Biftecks d'aloyau au beurre épicé

Préparation : 15 minutes — **Réfrigération :** 1 heure
Cuisson : 6 minutes — **Quantité :** 4 portions

4	biftecks d'aloyau (T-bones) de 350 g (environ ¾ de lb) chacun

Pour le beurre épicé :

125 ml	(½ tasse) de beurre ramolli
30 ml	(2 c. à soupe) de ciboulette hachée
15 ml	(1 c. à soupe) de jus de lime
15 ml	(1 c. à soupe) de pesto aux tomates séchées
2,5 ml	(½ c. à thé) de sambal œlek

1. Dans un bol, mélanger les ingrédients du beurre épicé.

2. Déposer le mélange sur une feuille de papier d'aluminium et façonner un cylindre de 2,5 cm (1 po) de diamètre. Réfrigérer 1 heure.

3. Au moment de la cuisson, préchauffer le barbecue à puissance moyenne-élevée.

4. Sur la grille chaude et huilée du barbecue, cuire les biftecks de 3 à 4 minutes de chaque côté pour une cuisson saignante.

5. Au moment de servir, déposer une rondelle de beurre épicé sur chaque bifteck.

J'aime avec...

Légumes grillés au thym

Couper 1 oignon et 2 courgettes en grosses rondelles. Tailler 1 poivron orange et 1 poivron rouge en quartiers. Déposer les légumes dans un saladier. Arroser de 30 ml (2 c. à soupe) d'huile d'olive et saupoudrer de 15 ml (1 c. à soupe) de thym haché. Saler, poivrer et remuer. Griller 3 minutes de chaque côté sur le barbecue à puissance moyenne-élevée.

Poulet barbecue
sur canette de bière

Préparation : 15 minutes — **Cuisson :** 1 heure 30 minutes — **Quantité :** 4 portions

45 ml	(3 c. à soupe) d'assaisonnements pour poulet
15 ml	(1 c. à soupe) de paprika
1	poulet entier de 1,5 kg (3 ⅓ lb)
1	canette de bière blonde de 355 ml
1	tige de romarin
1	tige de thym
1	feuille de laurier
180 ml	(¾ de tasse) de sauce barbecue
2	gousses d'ail
15 ml	(1 c. à soupe) de miel

—

1. Préchauffer le barbecue à puissance moyenne.

2. Dans un bol, mélanger les assaisonnements pour poulet avec le paprika. Réserver 15 ml (1 c. à soupe) et frotter le poulet avec le reste du mélange.

3. Verser la moitié de la bière dans un contenant hermétique et réfrigérer.

4. À l'aide de ciseaux, élargir l'ouverture de la canette de bière. Déposer dans la cannette le mélange d'assaisonnements réservé, les fines herbes, les gousses d'ail et 30 ml (2 c. à soupe) de sauce barbecue.

5. Glisser le poulet sur la canette, cuisses vers le bas. Déposer dans un plat de cuisson. Éteindre l'un des brûleurs du barbecue et déposer le plat au-dessus de ce brûleur. Fermer le couvercle et cuire de 1 heure 30 minutes à 1 heure 45 minutes, jusqu'à ce que l'intérieur de la chair du poulet ait perdu sa teinte rosée.

6. Dans une casserole, porter à ébullition à feu moyen le miel avec le reste de la bière et de la sauce barbecue, puis laisser mijoter de 3 à 4 minutes à feu doux-moyen. Servir avec le poulet.

—

J'aime avec...

Salade de légumes grillés

Couper 1 poivron rouge en morceaux, 1 petit oignon rouge en rondelles et 8 champignons en deux. Griller les légumes sur le barbecue de 5 à 6 minutes à puissance moyenne-élevée. Dans un saladier, fouetter 60 ml (¼ de tasse) d'huile d'olive avec 15 ml (1 c. à soupe) de miel, 15 ml (1 c. à soupe) de vinaigre balsamique et 15 ml (1 c. à soupe) de moutarde à l'ancienne. Ajouter les légumes grillés et 500 ml (2 tasses) de bébés épinards. Remuer.

Burgers de bœuf
au pesto de tomates et noix

Préparation : 10 minutes — **Cuisson :** 10 minutes — **Quantité :** 4 portions

4	pains à hamburger
80 ml	(⅓ de tasse) de mayonnaise
4	feuilles de laitue frisée verte
8	rondelles de tomates
4	rondelles d'oignon rouge

Pour les galettes :

450 g	(1 lb) de bœuf haché mi-maigre
1	œuf
60 ml	(¼ de tasse) de chapelure nature
60 ml	(¼ de tasse) de noix de Grenoble ou de noix de pin hachées
30 ml	(2 c. à soupe) de persil haché
30 ml	(2 c. à soupe) de pesto aux tomates séchées
5 ml	(1 c. à thé) de graines de cumin
1	oignon vert émincé
	Sel et poivre au goût

—

1. Préchauffer le barbecue à puissance moyenne-élevée.

2. Dans un bol, mélanger la viande hachée avec l'œuf. Incorporer le reste des ingrédients des galettes. Façonner quatre galettes d'environ 2 cm (¾ de po) d'épaisseur.

3. Sur la grille chaude et huilée, cuire les galettes de 5 à 7 minutes de chaque côté, en les retournant fréquemment, jusqu'à ce que l'intérieur des galettes ait perdu sa teinte rosée ou que le thermomètre à cuisson indique 71 °C (160 °F).

4. Faire griller les pains à hamburger 2 minutes sur la grille supérieure du barbecue.

5. Garnir les pains de mayonnaise, d'une galette de bœuf, de laitue, de rondelles de tomates et d'oignon rouge.

—

J'aime avec... Frites faciles à faire

Peler 3 grosses pommes de terre (Russet ou Yukon Gold) et tailler en bâtonnets de 1 cm (½ po) d'épaisseur. Déposer dans une casserole d'eau froide. Porter à ébullition, puis cuire 2 minutes à feu moyen. Égoutter et assécher. Arroser de 30 ml (2 c. à soupe) d'huile de canola. Saler et poivrer. Répartir sur une plaque de cuisson tapissée de papier parchemin. Cuire au four de 20 à 25 minutes à 205 °C (400 °F), en retournant les frites à mi-cuisson.

Biftecks de bœuf, sauce aux champignons

Préparation : 15 minutes — **Cuisson :** 8 minutes — **Quantité :** 4 portions

4	biftecks de haut de surlonge
15 ml	(1 c. à soupe) d'épices à bifteck
30 ml	(2 c. à soupe) d'huile d'olive
8	champignons coupés en quatre
30 ml	(2 c. à soupe) d'échalotes sèches hachées
60 ml	(¼ de tasse) de vin blanc
250 ml	(1 tasse) de sauce demi-glace
	Sel et poivre au goût

—

1. Préchauffer le barbecue à puissance moyenne-élevée.

2. Assaisonner les biftecks avec les épices.

3. Sur la grille chaude et huilée du barbecue, cuire les biftecks de 2 à 3 minutes de chaque côté.

4. Dans une casserole, chauffer l'huile d'olive à feu moyen. Cuire les champignons et les échalotes de 2 à 3 minutes.

5. Déglacer avec le vin blanc. Verser la sauce demi-glace. Saler et poivrer. Laisser mijoter de 2 à 3 minutes à feu doux. Servir avec les biftecks.

—

J'aime avec...

Pommes de terre rôties au citron

Couper de 4 à 5 pommes de terre en quartiers. Déposer dans un bol et mélanger avec 30 ml (2 c. à soupe) d'huile d'olive, 15 ml (1 c. à soupe) de zestes de citron et 30 ml (2 c. à soupe) de jus de citron. Saler et poivrer. Déposer les pommes de terre sur une plaque d'aluminium, sans les superposer. Déposer sur la grille et fermer le couvercle. Cuire de 18 à 20 minutes à puissance moyenne-élevée, en retournant les pommes de terre à mi-cuisson.

Tournedos au poivre rose et pesto aux tomates

Préparation : 15 minutes — **Cuisson** : 8 minutes — **Quantité** : 4 portions

15 ml	(1 c. à soupe) de moutarde à l'ancienne
15 ml	(1 c. à soupe) de poivre rose
15 ml	(1 c. à soupe) de pesto aux tomates séchées
45 ml	(3 c. à soupe) d'huile d'olive
4	tournedos de bœuf bardés de bacon
10 ml	(2 c. à thé) d'épices à bifteck
150 g	de fromage bleu coupé en quatre morceaux

—

1. Préchauffer le barbecue à puissance moyenne-élevée.

2. Dans un bol, mélanger la moutarde avec le poivre rose, le pesto aux tomates séchées et l'huile d'olive.

3. Saupoudrer les tournedos de bœuf d'épices à bifteck.

4. Sur la grille chaude et huilée du barbecue, déposer la viande et fermer le couvercle. Cuire les tournedos 4 minutes de chaque côté, en badigeonnant la viande d'huile parfumée quelques fois en cours de cuisson.

5. Déposer un morceau de fromage sur chacun des tournedos. Servir avec le reste de l'huile parfumée.

—

J'aime avec...

Légumes grillés

Couper 1 poivron rouge en morceaux, 1 petit oignon rouge en quartiers et 12 pommes de terre grelots en deux. Dans un bol, mélanger 15 ml (1 c. à soupe) d'huile d'olive avec 15 ml (1 c. à soupe) d'assaisonnements à l'ail rôti et poivrons (de type Club House). Ajouter les légumes et remuer. Transférer les pommes de terre dans un plateau d'aluminium et cuire 10 minutes au barbecue à puissance moyenne-élevée. Ajouter le reste des légumes et prolonger la cuisson de 10 minutes.

Salades soleil

Pour accompagner vos savoureuses grillades, les salades bien croquantes garnies de légumes colorés sont incontournables. Découvrez ici notre sélection craquante de salades vitaminées faciles à préparer. Fraîcheur, saveur et bonheur au rendez-vous !

Salade de mâche et d'oranges grillées

Préparation : 10 minutes — **Cuisson** : 4 minutes — **Quantité** : 4 portions

4	oranges
2	petits oignons rouges
750 ml	(3 tasses) de mâche
6	radis émincés

Pour la vinaigrette :

60 ml	(¼ de tasse) d'huile d'olive
30 ml	(2 c. à soupe) d'aneth haché
15 ml	(1 c. à soupe) de vinaigre balsamique
15 ml	(1 c. à soupe) de moutarde à l'ancienne
	Sel et poivre au goût

—

1. Préchauffer le barbecue à puissance moyenne-élevée.

2. Peler les oranges à vif, puis les couper en rondelles d'environ 1 cm (½ po) d'épaisseur. Couper les oignons rouges en rondelles légèrement plus minces que les rondelles d'oranges.

3. Dans un saladier, mélanger les ingrédients de la vinaigrette. Ajouter la mâche et les radis. Remuer.

4. Sur la grille chaude et huilée du barbecue, faire griller les tranches d'oranges et d'oignons rouges 2 minutes de chaque côté.

5. Dans une assiette de service, répartir la mâche et les radis. Garnir de rondelles d'oranges et d'oignons.

—

LE SAVIEZ-VOUS ?
—

Des oranges sur le barbecue

Des oranges grillées sur le barbecue ? Oui, c'est possible ! Vous parfumerez ainsi vos plats de la saveur exquise et un brin caramélisée de ce fruit légèrement acidulé. À essayer avec tous les agrumes !

Salade vitaminée au fromage grillé

Préparation : 20 minutes — **Cuisson :** 8 minutes — **Quantité :** 4 portions

Pour la salade :

250 g	de fromage halloumi (de type Doré-mi)
2	courgettes
2	poivrons rouges
2	nectarines
30 ml	(2 c. à soupe) d'huile d'olive
500 ml	(2 tasses) de roquette
16	tomates cerises coupées en deux
	Quelques feuilles de menthe émincées

Pour la vinaigrette :

60 ml	(¼ de tasse) d'huile d'olive
45 ml	(3 c. à soupe) de ciboulette hachée
20 ml	(4 c. à thé) de vinaigre balsamique
5 ml	(1 c. à thé) d'ail haché
	Poivre au goût

1. Préchauffer le barbecue à puissance moyenne-élevée.

2. Tailler le fromage en tranches de 2 cm (¾ de po) d'épaisseur, les courgettes en rondelles, puis les poivrons et les nectarines en quartiers. Déposer dans un grand bol et mélanger avec l'huile d'olive.

3. Déposer les légumes et les nectarines sur la grille chaude du barbecue. Cuire 2 minutes de chaque côté. Griller les tranches de fromage environ 1 minute de chaque côté, en prenant soin de les retirer dès qu'elles commencent à ramollir.

4. Dans un bol, mélanger les ingrédients de la vinaigrette.

5. Répartir la roquette dans les assiettes. Garnir de légumes grillés, de nectarines et de fromage. Ajouter les tomates. Napper de vinaigrette et parsemer de menthe.

—

J'aime parce que...

Le fromage est délicieux grillé !

Au grand plaisir de nos papilles, certains fromages peuvent être grillés sans fondre complètement. C'est le cas de certains fromages à pâte demi-ferme tels le Doré-Mi de la fromagerie Alexis de Portneuf et le Haloumi de la fromagerie Le Bédouin. Ces fromages saumurés étant très salés, il convient de les laisser tremper dans l'eau quelques heures avant de les griller.

Salade de poulet grillé délicieusement fruitée

Préparation : 25 minutes — **Cuisson :** 12 minutes — **Quantité :** 4 portions

Pour la vinaigrette :

250 ml	(1 tasse) de framboises
80 ml	(⅓ de tasse) d'huile d'olive
60 ml	(¼ de tasse) de jus d'orange
30 ml	(2 c. à soupe) de vinaigre de framboise
30 ml	(2 c. à soupe) de ciboulette hachée
	Sel et poivre au goût

Pour la salade :

720 g	(environ 1 ⅔ lb) de poitrines de poulet sans peau
3	petits concombres, pelés et coupés en cubes
1	laitue romaine déchiquetée
12	fraises coupées en deux
500 ml	(2 tasses) de bâtonnets de légumes (de type Terra Stix)

—

1. Préchauffer le barbecue à puissance moyenne-élevée.

2. Mettre les ingrédients de la vinaigrette dans le contenant du mélangeur et émulsionner de 1 à 2 minutes.

3. Verser un quart de la vinaigrette dans un contenant et en enrober les poitrines de poulet. Réserver un autre quart de la vinaigrette pour badigeonner la viande en cours de cuisson. Réfrigérer le reste de la vinaigrette.

4. Sur la grille chaude et huilée du barbecue, déposer les poitrines et fermer le couvercle. Cuire de 6 à 8 minutes de chaque côté, jusqu'à ce que l'intérieur de la chair ait perdu sa teinte rosée, en badigeonnant les poitrines de vinaigrette en cours de cuisson.

5. Dans un saladier, déposer les concombres, la laitue et les fraises. Verser la vinaigrette réservée au frais et remuer.

6. Émincer le poulet grillé et l'ajouter dans la salade. Répartir la salade dans les assiettes et garnir chacune des portions de bâtonnets de légumes.

—

J'aime avec... Une touche de croustillant

Pour une salade-repas qui craque sous la dent, pensez aliments croquants. Vous pouvez par exemple ajouter des croustilles de pommes de terre en julienne achetées au rayon des aliments naturels du supermarché ou encore des nouilles frites. Pour une version un peu plus santé, ajoutez des pistaches, des noix de cajou, des amandes, etc.

Poulet à la grecque

Préparation : 15 minutes – **Marinage :** 30 minutes
Cuisson : 12 minutes – **Quantité :** 4 portions

2	citrons (jus)
15 ml	(1 c. à soupe) d'origan haché
10 ml	(2 c. à thé) de graines de coriandre
4	poitrines de poulet sans peau
	Sel et poivre au goût
20	tomates cerises
½	poivron rouge
½	poivron jaune
1	petit oignon rouge
½	concombre
1	contenant de feta de 250 g coupée en cubes
125 ml	(½ tasse) d'olives noires
45 ml	(3 c. à soupe) d'huile d'olive

—

1. Dans un contenant hermétique, mélanger le jus des citrons avec l'origan et les graines de coriandre. Enrober les poitrines de poulet de ce mélange et laisser mariner 30 minutes au frais. Égoutter le poulet et jeter la marinade. Saler et poivrer.

2. Préchauffer le barbecue à puissance moyenne-élevée. Sur la grille chaude et huilée du barbecue, cuire les poitrines de 6 à 8 minutes de chaque côté, jusqu'à ce que l'intérieur de la chair ait perdu sa teinte rosée. Transférer dans une assiette et laisser tiédir. Émincer les poitrines.

3. Pendant ce temps, couper les tomates cerises en deux. Émincer les poivrons, l'oignon rouge et le concombre. Déposer dans un grand saladier. Incorporer la feta, les olives noires et l'huile d'olive.

4. Au moment de servir, répartir la salade dans les assiettes. Garnir chacune des portions d'une poitrine de poulet émincée.

—

J'aime parce que... ♡

C'est frais et savoureux !

Quand la saison chaude bat son plein, rien n'égale la fraîcheur et la saveur des salades estivales ! Toutes les déclinaisons sont possibles : vous pouvez varier les ingrédients en fonction des fruits et légumes frais du marché. Que ce soit pour un dîner ou pour un souper léger et délicieux, on adore la salade… parce que ça goûte l'été !

Salade de saumon à la tapenade

Préparation : 15 minutes — **Cuisson :** 10 minutes — **Quantité :** 4 portions

15 ml	(1 c. à soupe) de persil haché
10 ml	(2 c. à thé) de thym haché
5 ml	(1 c. à thé) de poivre du moulin
1	citron (jus)
30 ml	(2 c. à soupe) d'huile d'olive
720 g	(environ 1 ⅔ lb) de filets de saumon sans peau
250 ml	(1 tasse) de tapenade
30 ml	(2 c. à soupe) de crème sure
125 ml	(½ tasse) de yogourt nature
15 ml	(1 c. à soupe) d'aneth haché
1	salade romaine déchiquetée

—

1. Préchauffer le barbecue à puissance moyenne.

2. Dans un plat peu profond, mélanger le persil avec le thym, le poivre, le jus de citron et l'huile d'olive. Déposer les filets de saumon dans le plat et les retourner afin de bien les enrober de marinade.

3. Sur la grille chaude et huilée du barbecue, saisir les filets de saumon 1 minute de chaque côté. Transférer dans un plateau d'aluminium.

4. Recouvrir les filets de saumon avec la moitié de la tapenade. Déposer le plateau d'aluminium sur la grille du barbecue. Fermer le couvercle du barbecue et cuire de 10 à 15 minutes.

5. Pendant ce temps, mélanger le reste de la tapenade avec la crème sure, le yogourt et l'aneth.

6. Au moment de servir, répartir la laitue romaine dans les assiettes. Napper de vinaigrette et garnir d'un filet de saumon.

—

Salade de pâtes et crevettes grillées à l'asiatique

Préparation : 25 minutes — **Marinage :** 10 minutes — **Cuisson :** 4 minutes — **Quantité :** 4 portions

Pour la vinaigrette :

80 ml	(⅓ de tasse) d'huile de sésame (non grillé)
30 ml	(2 c. à soupe) de jus de citron
30 ml	(2 c. soupe) d'aneth haché
30 ml	(2 c. à soupe) de graines de sésame blanches et noires
15 ml	(1 c. à soupe) de gingembre haché
15 ml	(1 c. à soupe) de sauce soya
15 ml	(1 c. à soupe) de miel
5 ml	(1 c. à thé) d'ail haché

Pour la salade :

16	grosses crevettes (grosseur 16/20), crues et décortiquées
1	poivron jaune
1	petit oignon rouge
16	tomates cerises
1	boîte de farfalles de 350 g

—

1. Préchauffer le barbecue à puissance moyenne-élevée.

2. Dans un saladier, mélanger les ingrédients de la vinaigrette.

3. Transférer le quart de la vinaigrette dans un contenant hermétique. Ajouter les crevettes et faire mariner 10 minutes au frais.

4. Dans une casserole d'eau bouillante salée, cuire les pâtes *al dente*. Égoutter.

5. Piquer les crevettes sur des brochettes. Sur la grille chaude et huilée du barbecue, cuire les crevettes 2 minutes de chaque côté.

6. Couper le poivron et l'oignon rouge en petits cubes. Couper les tomates en deux. Ajouter dans la vinaigrette avec les pâtes et les crevettes. Remuer.

—

Salade de légumes à l'huile d'olive

Préparation : 10 minutes — **Quantité :** 4 portions

1	courgette verte
1	courgette jaune
1	aubergine
4	champignons portobello
1	poivron rouge
30 ml	(2 c. à soupe) d'huile d'olive
45 ml	(3 c. à soupe) d'oignon rouge haché
15 ml	(1 c. à soupe) de basilic haché
30 ml	(2 c. à soupe) de parmesan râpé
	Vinaigre balsamique au goût

—

1. Préchauffer le barbecue à puissance moyenne-élevée.

2. Couper les légumes en fines tranches sur la longueur.

3. Sur la grille chaude et huilée du barbecue, faire griller les tranches de légumes environ 1 minute de chaque côté. Couper en morceaux.

4. Déposer les légumes dans un saladier et mélanger délicatement avec l'huile d'olive, l'oignon rouge et le basilic.

5. Au moment de servir, saupoudrer de parmesan râpé et arroser de vinaigre balsamique.

—

Salade de chorizo
et maïs grillés à la mexicaine

Préparation : 25 minutes — **Trempage :** 15 minutes — **Cuisson :** 12 minutes — **Quantité :** 4 portions

Pour la salade :

4	épis de maïs
225 g	de chorizo (environ 3 saucissons)
1	poivron rouge
½	oignon
20	tomates cerises coupées en deux
1	boîte de haricots noirs de 540 ml, rincés et égouttés

Pour la vinaigrette :

60 ml	(¼ de tasse) d'huile d'olive
30 ml	(2 c. à soupe) de jus de lime
30 ml	(2 c. à soupe) de coriandre hachée
10 ml	(2 c. à thé) d'ail haché
2,5 ml	(½ c. à thé) d'épices tex-mex
	Sel au goût

—

1. Faire tremper les épis de maïs dans l'eau de 15 à 30 minutes, sans les éplucher.

2. Préchauffer le barbecue à puissance moyenne-élevée.

3. Dans un saladier, mélanger les ingrédients de la vinaigrette.

4. Égoutter les épis de maïs. Déposer sur la grille chaude du barbecue. Fermer le couvercle et cuire de 12 à 15 minutes.

5. Déposer le chorizo sur la grille et le cuire durant les 5 dernières minutes de cuisson du maïs.

6. Couper le poivron et l'oignon en dés. Ajouter dans le saladier avec les tomates et les haricots noirs.

7. Couper le chorizo en rondelles.

8. Éplucher les épis de maïs, puis les égrainer à l'aide d'un couteau.

9. Ajouter le chorizo et les grains de maïs dans le saladier. Remuer.

—

Délicieusement marinées

Pour attendrir les viandes – même les plus coriaces –
et relever leur goût, les marinades n'ont plus à faire leurs
preuves ! Faciles à préparer et prêtes en moins de deux,
les pièces de bœuf, de volaille, de porc et de saumon
tendrement macérées et grillées sur le barbecue sont
plus que bienvenues dans notre assiette !

Poitrines de poulet barbecue et mangue grillée

Préparation : 30 minutes — **Marinage :** 30 minutes
Cuisson : 12 minutes — **Quantité :** 4 portions

250 ml (1 tasse) de sauce
barbecue

5 ml (1 c. à thé) de
paprika fumé

125 ml (½ tasse) de jus d'orange

4 poitrines de poulet
sans peau

1 mangue coupée
en quartiers

—

1. Dans un bol, mélanger la sauce barbecue avec le paprika fumé et le jus d'orange. Verser le tiers du mélange dans un sac hermétique. Ajouter les poitrines de poulet et laisser mariner 30 minutes au frais. Réfrigérer le reste de la préparation barbecue et orange (elle servira de sauce pour le poulet).

2. Au moment de la cuisson, préchauffer le barbecue à puissance moyenne-élevée. Égoutter les poitrines et jeter la marinade.

3. Sur la grille chaude et huilée du barbecue, cuire le poulet de 6 à 7 minutes de chaque côté. Faire griller les quartiers de mangue 5 minutes.

4. Dans une casserole, chauffer la préparation barbecue et orange réservée à feu moyen jusqu'aux premiers bouillons.

5. Servir le poulet avec la sauce chaude. Accompagner de quartiers de mangue grillée et de salade (voir recette ci-dessous).

—

J'aime avec... ♡ ## Salade colorée

Couper en dés 1 poivron jaune et 1 concombre. Couper en deux 10 tomates cerises de couleurs variées. Déposer dans un saladier et ajouter 125 ml (½ tasse) de raisins verts coupés en deux, 60 ml (¼ de tasse) d'huile d'olive, 30 ml (2 c. à soupe) de jus de citron et 45 ml (3 c. à soupe) de ciboulette hachée. Remuer.

Biftecks d'aloyau bière et moutarde

Préparation : 15 minutes — **Marinage :** 30 minutes
Cuisson : 4 minutes — **Quantité :** 4 portions

125 ml	(½ tasse) de bière blonde
15 ml	(1 c. à soupe) de moutarde de Dijon
15 ml	(1 c. à soupe) de mélasse
15 ml	(1 c. à soupe) de thym haché
4	biftecks d'aloyau (T-bones)

—

1. Dans un plat creux, mélanger la bière avec la moutarde, la mélasse et le thym. Ajouter les biftecks et laisser mariner de 30 minutes à 2 heures au frais.

2. Au moment de la cuisson, préchauffer le barbecue à puissance moyenne-élevée. Égoutter la viande et jeter la marinade.

3. Sur la grille chaude et huilée du barbecue, cuire les biftecks de 2 à 3 minutes de chaque côté pour une cuisson saignante.

—

J'aime avec...

Pommes de terre rôties au poivre et cumin

Mélanger 30 ml (2 c. à soupe) d'huile d'olive avec 15 ml (1 c. à soupe) de poivre, 5 ml (1 c. à thé) de graines de cumin, 15 ml (1 c. à soupe) de zestes de citron et 4 pommes de terre coupées en quartier. Saler. Déposer les pommes de terre dans un plateau d'aluminium et cuire au barbecue de 15 à 20 minutes à puissance moyenne-élevée.

Longe de porc farcie
à la sauge et au couscous

Préparation : 30 minutes — **Marinage :** 12 heures
Cuisson : 35 minutes — **Quantité :** de 4 à 6 portions

1	longe de porc de 900 g (2 lb)

Pour la marinade :

125 ml	(½ tasse) de vin blanc sec
60 ml	(¼ de tasse) de confiture d'abricots
1	oignon émincé
1	tige de thym

Pour la farce :

125 ml	(½ tasse) de couscous cuit
125 ml	(½ tasse) d'abricots séchés émincés
45 ml	(3 c. à soupe) d'échalotes sèches hachées
30 ml	(2 c. à soupe) de sauge émincée
30 ml	(2 c. à soupe) de persil haché
	Sel et poivre au goût

—

1. À l'aide d'un long couteau fin, inciser le centre de la longe de porc sur toute la longueur afin de créer une cavité.

2. Dans un bol, mélanger les ingrédients de la marinade. Verser dans un sac hermétique. Ajouter la longe de porc dans le sac et laisser mariner de 12 à 24 heures au frais.

3. Dans un bol, mélanger les ingrédients de la farce. Réserver au frais.

4. Au moment de la cuisson, préchauffer un côté du barbecue à puissance moyenne-élevée.

5. Égoutter la longe et jeter la marinade. À l'aide d'une petite cuillère, farcir la longe.

6. Sur la grille chaude et huilée du barbecue, saisir la viande 3 minutes de chaque côté.

7. Déplacer la longe du côté du brûleur éteint. Fermer le couvercle du barbecue et cuire de 35 à 40 minutes, jusqu'à ce que la température interne de la viande atteigne 70 °C (160 °F) sur un thermomètre à cuisson.

8. Retirer la longe du feu et couvrir d'une feuille de papier d'aluminium. Laisser reposer 10 minutes avant de trancher.

—

J'aime avec... ♡ Légumes du jardin en papillote

Mélanger 45 ml (3 c. à soupe) d'huile d'olive avec 10 ml (2 c. à thé) de graines de cumin et 5 ml (1 c. à thé) de graines de coriandre. Saler et poivrer. Ajouter 12 carottes avec leur tige, pelées et coupées en deux sur la longueur, ainsi que 12 pommes de terre grelots coupées en deux. Remuer. Déposer dans une papillote d'aluminium avec 2 glaçons. Déposer sur la grille du barbecue et fermer le couvercle. Cuire de 20 à 25 minutes à puissance moyenne-élevée.

Filets de bœuf marinés à la thaï

Préparation : 15 minutes — **Marinage :** 1 heure
Cuisson : 8 minutes — **Quantité :** 4 portions

4	filets mignons de bœuf de 180 g (environ ⅓ de lb) chacun

Pour la marinade :

30 ml	(2 c. à soupe) de sauce soya
15 ml	(1 c. à soupe) de sauce de poisson
15 ml	(1 c. à soupe) d'huile de sésame (non grillé)
15 ml	(1 c. à soupe) de gingembre haché
15 ml	(1 c. à soupe) de miel
10 ml	(2 c. à thé) d'ail haché
2	oignons verts émincés
1	anis étoilé

—

1. Dans un bol, fouetter les ingrédients de la marinade. Transférer la préparation dans un sac hermétique. Ajouter les filets mignons et laisser mariner de 1 à 2 heures au frais.

2. Au moment de la cuisson, préchauffer le barbecue à puissance moyenne-élevée. Égoutter la viande et jeter la marinade.

3. Sur la grille chaude et huilée du barbecue, déposer les filets mignons. Fermer le couvercle et cuire de 4 à 5 minutes de chaque côté.

—

J'aime avec...

Vermicelles de riz et brocolinis

Réhydrater 100 g de vermicelles de riz selon les indications de l'emballage. Égoutter. Dans une poêle, chauffer 15 ml (1 c. à soupe) d'huile de canola à feu moyen. Cuire 1 oignon émincé avec 1 carotte coupée en julienne et 250 ml (1 tasse) de brocolinis taillés en petits bouquets de 2 à 3 minutes. Verser 125 ml (½ tasse) de bouillon de bœuf. Porter à ébullition et ajouter les vermicelles. Réchauffer 1 minute à feu moyen en remuant.

Pavés de saumon marinés

Préparation : 10 minutes — **Marinage :** 45 minutes
Cuisson : 10 minutes — **Quantité :** 4 portions

4	pavés de saumon, la peau enlevée

Pour la marinade :

160 ml	(⅔ de tasse) de vin blanc
80 ml	(⅓ de tasse) de jus de pamplemousse sans sucre ajouté
80 ml	(⅓ de tasse) de vinaigre balsamique
80 ml	(⅓ de tasse) de sirop d'érable
30 ml	(2 c. à soupe) d'ail haché
1	bulbe de fenouil émincé
	Sel et poivre au goût

—

1. Dans un bol, mélanger les ingrédients de la marinade. Ajouter les pavés de saumon et laisser mariner 45 minutes au frais.

2. Au moment de la cuisson, préchauffer le barbecue à puissance moyenne. Égoutter les pavés au-dessus d'une casserole afin de récupérer la marinade.

3. Sur la grille chaude et huilée du barbecue, déposer les pavés et cuire 5 minutes de chaque côté.

4. Pendant ce temps, chauffer la marinade à feu moyen dans une casserole jusqu'à ce que le liquide ait réduit de moitié.

5. Napper les pavés de saumon avec la marinade réduite et servir avec la salade de pommes et roquette (voir recette ci-dessous).

—

J'aime avec...

Salade de pommes et roquette

Trancher 2 pommes en huit morceaux. Déposer dans un saladier et mélanger avec 12 feuilles de menthe, 1 ½ contenant de roquette de 142 g chacun, 125 ml (½ tasse) de yogourt grec et de l'huile d'olive au goût.

Brochettes de bœuf
à l'italienne

Préparation : 15 minutes — **Marinage :** 1 heure
Cuisson : 10 minutes — **Quantité :** 4 portions

80 ml	(⅓ de tasse) d'huile d'olive
30 ml	(2 c. à soupe) de pesto aux tomates séchées
15 ml	(1 c. à soupe) de noix de pin hachées
15 ml	(1 c. à soupe) de parmesan râpé
15 ml	(1 c. à soupe) de basilic émincé
675 g	(1 ½ lb) de cubes de bœuf à brochettes

—

1. Dans un bol, mélanger 60 ml (¼ de tasse) d'huile d'olive avec le pesto, les noix de pin, le parmesan et le basilic.

2. Verser la moitié de la préparation dans un sac hermétique. Ajouter les cubes de bœuf et réfrigérer de 1 à 24 heures. Réfrigérer le reste de la marinade (elle servira de sauce d'accompagnement).

3. Au moment de la cuisson, préchauffer le barbecue à puissance moyenne-élevée. Égoutter la viande et jeter la marinade. Piquer les cubes de bœuf sur des brochettes.

4. Sur la grille chaude et huilée du barbecue, cuire les brochettes de 5 à 6 minutes de chaque côté pour une cuisson rosée.

5. Au moment de servir, napper les brochettes avec la marinade réservée.

—

J'aime avec...

Brochettes de légumes aux fines herbes

Couper en cubes 1 courgette, ½ poivron rouge, ½ poivron vert et ½ poivron jaune. Éplucher 4 oignons perlés. Piquer les légumes sur des brochettes. Dans un bol, mélanger 30 ml (2 c. à soupe) d'huile d'olive avec 10 ml (2 c. à thé) de romarin haché et 15 ml (1 c. à soupe) de ciboulette hachée. Saler et poivrer. Badigeonner les brochettes de légumes de ce mélange et cuire au barbecue de 10 à 15 minutes à puissance moyenne.

Souvlakis d'agneau à la chermoula

Préparation : 25 minutes — **Marinage :** 1 heure
Cuisson : 8 minutes — **Quantité :** 4 portions

720 g	(1 ½ lb) de gigot d'agneau coupé en cubes
2	poivrons jaunes coupés en cubes
2	petits oignons rouges coupés en cubes

Pour la chermoula :

10 ml	(2 c. à thé) d'ail haché
10 ml	(2 c. à thé) de paprika
5 ml	(1 c. à thé) de cumin
5 ml	(1 c. à thé) de graines de coriandre
1	citron (jus)
	Piment fort haché au goût

—

1. Dans un sac de plastique hermétique, mélanger les ingrédients de la chermoula. Ajouter les cubes d'agneau, de poivrons et d'oignons. Remuer et laisser mariner au frais de 1 à 2 heures.

2. Au moment de la cuisson, préchauffer le barbecue à puissance moyenne-élevée.

3. Piquer les cubes d'agneau, de poivrons et d'oignons rouges sur des brochettes.

4. Déposer sur la grille chaude et huilée du barbecue. Cuire de 8 à 15 minutes, selon la cuisson désirée.

—

J'aime avec...

Salade de concombre à la feta

Mélanger 250 ml (1 tasse) de yogourt nature avec 5 ml (1 c. à thé) d'ail haché, 125 ml (½ tasse) de feta émiettée et 15 ml (1 c. à soupe) de ciboulette hachée. Saler et poivrer. Ajouter 2 concombres pelés, épépinés et émincés. Remuer.

Filets de porc marinés

Préparation : 15 minutes – **Marinage :** 30 minutes – **Cuisson :** 20 minutes – **Quantité :** 4 portions

2   filets de porc de 350 g
       (environ ¾ de lb) chacun

Pour la marinade :

80 ml   (⅓ de tasse) d'huile d'olive

80 ml   (⅓ de tasse) de jus
        de citron

30 ml   (2 c. à soupe) de miel
        ou de sirop d'érable

2   gousses d'ail écrasées
        Feuilles de menthe
        au goût
        Sel et poivre au goût

        —

1. Dans un bol, mélanger les ingrédients de la marinade. Verser la moitié de la marinade dans un sac hermétique et réfrigérer le reste.

2. Ajouter les filets de porc dans le sac et laisser mariner au frais 30 minutes au minimum.

3. Au moment de la cuisson, préchauffer le barbecue à puissance moyenne-élevée. Égoutter la viande et jeter la marinade.

4. Sur la grille chaude et huilée du barbecue, déposer les filets de porc. Cuire 20 minutes, jusqu'à ce que le porc soit légèrement rose à l'intérieur, en badigeonnant les filets en cours de cuisson avec la marinade réservée.

5. Transférer les filets de porc dans une assiette et couvrir d'une feuille de papier d'aluminium, sans serrer. Laisser reposer de 8 à 10 minutes avant de trancher.

—

Recette de Michel L'Archevêque

Poulet barbecue et chipotle

Préparation : 10 minutes — **Marinage :** 8 heures • **Cuisson :** 12 minutes — **Quantité :** 4 portions

5 ml	(1 c. à thé) de chipotle
500 ml	(2 tasses) de sauce barbecue
4	poitrines de poulet sans peau
	—

1. Dans un bol, mélanger le chipotle avec la sauce barbecue.

2. Verser le tiers de la sauce dans un sac hermétique. Ajouter les poitrines de poulet et laisser mariner 8 heures au frais. Réfrigérer le reste de la sauce.

3. Au moment de la cuisson, pré-chauffer le barbecue à puissance moyenne-élevée.

4. Égoutter le poulet et jeter la marinade.

5. Sur la grille chaude et huilée du barbecue, cuire les poitrines de poulet de 6 à 7 minutes de chaque côté. Badigeonner le poulet en cours de cuisson avec la sauce réservée.

6. Servir les poitrines avec le reste de la sauce barbecue.

—

Satays de porc aux arachides

Préparation : 15 minutes — **Marinage :** 12 heures — **Cuisson :** 10 minutes — **Quantité :** 4 portions

125 ml	(½ tasse) de beurre d'arachide croquant
1	petit piment fort haché
10 ml	(2 c. à thé) de curcuma
15 ml	(1 c. à soupe) de jus de lime
5 ml	(1 c. à thé) d'ail haché
45 ml	(3 c. à soupe) d'huile de canola
680 g	(1 ½ lb) de lanières de porc

—

1. Dans un sac hermétique, mélanger le beurre d'arachide avec le piment, le curcuma, le jus de lime, l'ail et 30 ml (2 c. à soupe) d'huile. Ajouter les lanières de porc dans le sac et laisser mariner de 12 à 24 heures au frais.

2. Au moment de la cuisson, préchauffer le barbecue à puissance moyenne-élevée.

3. Égoutter la viande au-dessus d'une casserole afin de récupérer la marinade. Porter la marinade à ébullition et laisser mijoter 10 minutes.

4. Piquer les lanières de porc sur des brochettes de bambou. Sur la grille chaude et huilée du barbecue, cuire les satays de 3 à 5 minutes de chaque côté. Servir avec la sauce.

—

Bavettes de bœuf au parfum de bière et mélasse

Préparation: 15 minutes — **Marinage**: 1 heure — **Cuisson**: 6 minutes — **Quantité**: 4 portions

4	bavettes de bœuf de 180 g (environ ⅓ de lb) chacune
250 ml	(1 tasse) de bière blonde
30 ml	(2 c. à soupe) de sauce HP
15 ml	(1 c. à soupe) de mélasse
10 ml	(2 c. à thé) d'ail haché
1	oignon vert émincé
—	

1. Inciser les deux côtés des bavettes à environ 0,5 cm (¼ de po) de profondeur, dans le sens contraire des fibres.

2. Dans un bol, mélanger tous les ingrédients, à l'exception du bœuf. Transférer la moitié de la marinade dans un sac hermétique. Ajouter les bavettes et laisser mariner au frais 1 heure, idéalement 12 heures. Réfrigérer le reste de la marinade.

3. Au moment de la cuisson, préchauffer le barbecue à puissance moyenne-élevée. Égoutter la viande et jeter la marinade.

4. Sur la grille chaude et huilée du barbecue, cuire les bavettes de 3 à 4 minutes de chaque côté en les badigeonnant avec la marinade réservée en cours de cuisson.

—

Savoureuses papillotes

Rien de tel que la douce texture des aliments cuits en papillote! Sans oublier que cette cuisson haute en saveur, rapide et saine permet de mieux conserver vitamines et minéraux. Dans cette section, poissons et légumes en papillote se déclinent en plusieurs recettes alléchantes pour le plus grand plaisir de nos papilles.

Filets de sole à l'orange

Préparation : 15 minutes — **Cuisson :** 10 minutes — **Quantité :** 4 portions

2	oranges
2	grosses carottes coupées en julienne
½	rutabaga coupé en julienne
30 ml	(2 c. à soupe) d'aneth haché
15 ml	(1 c. à soupe) de jus de citron
30 ml	(2 c. à soupe) d'huile d'olive
	Sel et poivre au goût
8	filets de sole
15 ml	(1 c. à soupe) de zestes de citron

—

1. Préchauffer le barbecue à puissance moyenne-élevée.

2. Prélever les suprêmes des oranges en pelant d'abord l'écorce à vif, puis en tranchant de chaque côté des membranes.

3. Mélanger les légumes avec les suprêmes d'oranges, l'aneth, le jus de citron et l'huile. Saler et poivrer.

4. Tailler quatre feuilles de papier d'aluminium et couvrir chacune d'elles d'une feuille de papier parchemin. Sur les feuilles de papier parchemin, répartir le mélange de légumes, les filets de sole et les zestes de citron. Saler et poivrer.

5. Replier les feuilles de papier d'aluminium afin de former des papillotes hermétiques.

6. Cuire au barbecue de 10 à 12 minutes, jusqu'à ce que les papillotes soient gonflées.

—

J'aime avec...

Orzo aux fines herbes et noix de pin

Cuire 375 ml (1 ½ tasse) d'orzo *al dente* selon les indications de l'emballage. Égoutter. Dans une casserole, faire fondre 30 ml (2 c. à soupe) de beurre à feu moyen. Saisir 10 ml (2 c. à thé) d'ail haché avec 15 ml (1 c. à soupe) de noix de pin, 30 ml (2 c. à soupe) de ciboulette hachée et 30 ml (2 c. à soupe) de persil haché. Ajouter l'orzo et 60 ml (¼ de tasse) de parmesan râpé. Saler et poivrer.

Salade tiède d'asperges et tomates cerises

Préparation : 10 minutes — **Cuisson :** 5 minutes — **Quantité :** 4 portions

30 ml	(2 c. à soupe) de vinaigre de xérès
30 ml	(2 c. à soupe) d'huile d'olive
1	petit oignon rouge émincé finement
30 ml	(2 c. à soupe) de basilic émincé
	Sel et poivre au goût
16	tomates cerises coupées en deux
20	asperges parées
500 ml	(2 tasses) de mesclun
80 ml	(⅓ de tasse) de parmesan râpé ou en copeaux

—

1. Préchauffer le barbecue à puissance moyenne-élevée.

2. Dans un bol, mélanger le vinaigre avec l'huile, l'oignon rouge et le basilic. Saler et poivrer. Ajouter les tomates cerises.

3. Sur une feuille de papier d'aluminium, déposer les asperges. Couvrir de la préparation aux tomates. Replier la feuille de papier d'aluminium afin de former une papillote hermétique.

4. Cuire sur le barbecue de 5 à 8 minutes, jusqu'à ce que la papillote soit gonflée.

5. Répartir le mesclun dans les assiettes. Retirer les asperges de la papillote en prenant soin de réserver le jus de cuisson. Garnir chacune des portions d'asperges et de parmesan. Napper de jus de cuisson.

—

LE SAVIEZ-VOUS ?
—

Qu'est-ce que le vinaigre de xérès ?

Ce vinaigre modérément acidulé aux tonalités de pomme et au parfum boisé est originaire d'Andalousie, en Espagne. Sa couleur varie de légèrement ambrée à noire, selon l'âge. Plus il est vieux, meilleur est son goût. On donne d'ailleurs l'appellation « xérès reserva » aux variétés vieillies pendant une période d'au moins deux ans. À l'instar des autres vinaigres, le vinaigre de xérès favorise une bonne digestion. Il se conserve plusieurs années dans un endroit frais et sec, à l'abri de la lumière.

Mahi-mahi mangue et ananas

Préparation : 15 minutes — **Cuisson :** 20 minutes — **Quantité :** 4 portions

15 ml	(1 c. à soupe) d'huile d'olive
1	poivron rouge émincé
2	courgettes émincées
4	filets de mahi-mahi de 150 g (⅓ de lb) chacun

Pour le chutney :

½	ananas coupé en dés
1	mangue coupée en dés
½	boîte de lait de coco de 400 ml
2	limes (jus)
15 ml	(1 c. à soupe) de cari
15 ml	(1 c. à soupe) de gingembre haché
10 ml	(2 c. à thé) d'ail haché
2 à 3	gouttes de vanille
	Sel et poivre au goût

—

1. Dans une casserole, porter à ébullition tous les ingrédients du chutney. Laisser mijoter à découvert de 10 à 15 minutes à feu doux, jusqu'à ce que le liquide ait réduit de moitié.

2. Pendant ce temps, préchauffer le barbecue à puissance moyenne.

3. Tailler quatre grandes feuilles de papier d'aluminium. Au centre de chaque feuille, verser un filet d'huile d'olive et répartir les légumes. Ajouter un filet de mahi-mahi et un peu de chutney. Replier les feuilles afin de former des papillotes hermétiques.

4. Déposer les papillotes sur la grille du barbecue et fermer le couvercle. Cuire de 10 à 12 minutes, jusqu'à ce que les papillotes soient gonflées.

—

J'aime parce que... C'est simple et goûteux !

À la recherche d'un mode de cuisson facile, sain et savoureux ? La papillote est la solution parfaite ! Outre l'injection de saveurs qu'elle favorise, ce type de préparation convient tout à fait à ceux qui surveillent leur ligne. La papillote nécessite l'ajout de peu de matières grasses et conserve mieux les minéraux ainsi que les vitamines. Cette technique idéale pour le poisson, la volaille, les fruits et les légumes permet aux aliments de cuire dans leur jus sous l'effet de la vapeur, mêlant doucement leurs différentes saveurs. Pour réaliser une papillote, utilisez une feuille de papier d'aluminium légèrement huilée et bien scellée afin de créer une pochette qui gonflera sous l'effet de la chaleur. Au moment de servir, faites attention aux brûlures que pourrait provoquer la vapeur.

Tilapia à la niçoise

Préparation : 20 minutes – **Cuisson** : 15 minutes – **Quantité** : 4 portions

4	filets de tilapia de 150 g (⅓ de lb) chacun
4	rondelles de citron
	Sel et poivre au goût

Pour la ratatouille :

2	tomates italiennes
1	aubergine moyenne
1	courgette
1	poivron rouge
1	oignon
45 ml	(3 c. à soupe) d'huile d'olive
15 ml	(1 c. à soupe) de basilic haché
5 ml	(1 c. à thé) d'ail haché
5 ml	(1 c. à thé) de thym haché
	Sel et poivre au goût

—

1. Préchauffer le barbecue à puissance moyenne-élevée.

2. Couper les légumes en dés.

3. Dans un bol, mélanger les ingrédients de la ratatouille. Répartir sur quatre grandes feuilles de papier d'aluminium.

4. Déposer les filets de tilapia et les rondelles de citron sur les légumes. Assaisonner. Sceller les papillotes et déposer sur la grille du barbecue. Cuire de 15 à 20 minutes, jusqu'à ce que les papillotes soient gonflées.

—

LE SAVIEZ-VOUS ?
—

C'est plein d'antioxydants !

L'aubergine est un aliment peu calorique, riche en fibres et en antioxydants. La plupart de ses composés bénéfiques – notamment pour la prévention de certains cancers et maladies cardiovasculaires – se trouvent dans sa pelure, alors on évite de l'enlever. En plus d'être nutritive, elle ajoutera de la couleur dans l'assiette !

Pommes de terre au prosciutto

Préparation : 15 minutes — **Cuisson :** 30 minutes — **Quantité :** 4 portions

2	oignons
4	grosses pommes de terre pour la cuisson au four non pelées (rouges, Idaho, Russet...)
15 ml	(1 c. à soupe) d'épices cajun
8	tranches de prosciutto coupées en deux
30 ml	(2 c. à soupe) d'huile d'olive
—	

1. Préchauffer le barbecue à puissance moyenne-élevée.

2. Couper les oignons en très fines rondelles.

3. Couper les pommes de terre en tranches de 1,25 cm (¾ de po) d'épaisseur. Assaisonner d'épices cajun chaque côté des tranches.

4. Assembler quatre brochettes, de manière à reconstituer la forme de la pomme de terre, en faisant alterner les morceaux d'oignon, de pommes de terre et de prosciutto. Déposer les brochettes sur une feuille de papier d'aluminium badigeonnée d'huile d'olive et replier la feuille, de manière à former une papillote hermétique.

5. Déposer sur la grille chaude du barbecue. Fermer le couvercle et cuire 30 minutes, en retournant les papillotes à mi-cuisson.

—

Filets de doré aux champignons

Préparation : 20 minutes – **Cuisson :** 10 minutes – **Quantité :** 4 portions

1	carotte
3	branches de céleri
20	pois mange-tout
30 ml	(2 c. à soupe) de sauce de poisson
250 ml	(1 tasse) de shiitakes coupés en quatre
30 ml	(2 c. à soupe) d'oignon vert émincé
30 ml	(2 c. à soupe) d'huile d'olive
15 ml	(1 c. à soupe) de persil haché
15 ml	(1 c. à soupe) de ciboulette hachée
15 ml	(1 c. à soupe) d'épices cajun
1	citron (jus)
1	orange (jus)
	Sel et poivre au goût
4	filets de doré de 180 g (environ ⅓ de lb) chacun

—

1. Préchauffer le barbecue à puissance moyenne-élevée.

2. Couper la carotte et les branches de céleri en morceaux.

3. Dans un grand bol, mélanger tous les ingrédients, à l'exception des filets de doré.

4. Répartir le mélange de légumes au centre de quatre grandes feuilles de papier d'aluminium. Ajouter les filets de doré. Saler et poivrer. Replier le papier de manière à former des papillotes hermétiques.

5. Cuire au barbecue de 10 à 13 minutes, jusqu'à ce que les papillotes soient gonflées.

—

Pommes de terre aux fines herbes

Préparation : 10 minutes — **Cuisson :** 24 minutes — **Quantité :** 4 portions

4	grosses pommes de terre à cuire au four (rouges, Idaho, Russet...)
60 ml	(¼ de tasse) de beurre fondu
30 ml	(2 c. à soupe) de persil haché
10 ml	(2 c. à thé) de thym haché
1	sachet de soupe à l'oignon de 55 g
—	

1. Préchauffer le barbecue à puissance moyenne-élevée.

2. Couper les pommes de terre en rondelles de 1 cm (½ po).

3. Sur quatre grandes feuilles de papier d'aluminium, disposer les rondelles de manière à conserver la forme des pommes de terre.

4. Dans un bol, mélanger le reste des ingré-dients. Badigeonner la chair des pommes de terre avec la préparation. Sceller les papillotes.

5. Sur la grille chaude du barbecue, déposer les papillotes. Fermer le couvercle et cuire 12 minutes.

6. Transférer les pommes de terre sur la grille du haut. Refermer le couvercle et prolonger la cuisson de 12 minutes, jusqu'à ce que les papillotes soient gonflées.

—

Saumon à la mangue

Préparation : 20 minutes — **Cuisson** : 8 minutes — **Quantité** : 4 portions

2	mangues
250 ml	(1 tasse) de jus d'orange
2	limes (jus)
4 à 6	pistils de safran
1	petit oignon rouge haché
	Sel et poivre au goût
15 ml	(1 c. à soupe) d'huile d'olive
4	filets de saumon de 180 g (environ ⅓ de lb) chacun
30 ml	(2 c. à soupe) d'oignon vert émincé
30 ml	(2 c. à soupe) de graines de sésame

—

1. Préchauffer le barbecue à puissance moyenne-élevée.

2. Peler les mangues et retirer le noyau. Tailler en bâtonnets et déposer dans un bol avec le jus d'orange, le jus des limes, le safran et l'oignon rouge. Assaisonner et mélanger.

3. Badigeonner d'huile d'olive l'intérieur de quatre grandes feuilles de papier d'aluminium et déposer un filet de saumon au centre de chacune d'elles.

4. Répartir le mélange de mangues sur les filets de saumon. Replier les feuilles de papier d'aluminium de façon à former des papillotes hermétiques.

5. Déposer les papillotes sur la grille du barbecue et cuire de 8 à 10 minutes, jusqu'à ce que les papillotes soient gonflées.

6. Au moment de servir, parsemer chaque filet de saumon d'oignon vert et de graines de sésame.

—

À la planche !

Le secret pour relever la saveur de vos aliments ?
Une cuisson à la planche qui parfumera poisson,
poulet et porc d'un léger goût fumé. Pour ce faire,
choisissez au supermarché ou en quincaillerie
une planche de bois de cèdre, d'érable, de chêne
ou d'arbre fruitier non traitée. Préparez vos papilles
à un pur festin aromatique !

Truite glacée à l'orange

Préparation : 10 minutes — **Trempage :** 1 heure
Cuisson : 20 minutes — **Quantité :** 4 portions

1   grande planche de cèdre ou d'érable

1   filet de truite de 700 g (environ 1 ½ lb)

Pour le glaçage orange-estragon :

80 ml   (⅓ de tasse) de marmelade

30 ml   (2 c. à soupe) de jus de citron

30 ml   (2 c. à soupe) d'estragon haché

        Sel et poivre au goût

—

1. Faire tremper la planche de bois dans l'eau pendant 1 heure et préparer la truite en suivant les étapes présentées ci-dessous.

2. Au moment de la cuisson, préchauffer le barbecue à puissance moyenne-élevée.

3. Éteindre l'un des brûleurs et déposer la planche de cèdre sur la grille de ce côté. Fermer le couvercle du barbecue et cuire le poisson de 20 à 25 minutes.

—

C'EST FACILE !   Cuisiner sur planche de cèdre
—

1

Hydrater la planche de cèdre en la plongeant dans un contenant rempli d'eau et en la maintenant immergée à l'aide d'un poids. Laisser tremper 1 heure. Pendant ce temps, préparer le glaçage orange-estragon.

2

Retirer la planche de l'eau et bien l'éponger. Déposer le filet sur la planche et le badigeonner avec la préparation à l'orange ou poursuivre selon les indications de la recette.

Filets de truite à la gremolata

Préparation : 25 minutes — **Trempage :** 1 heure
Cuisson : 20 minutes — **Quantité :** 4 portions

1   grande planche de cèdre

1   filet de truite saumonée de 625 g (environ 1 ⅓ lb) sans peau

30 ml   (2 c. à soupe) de gelée de pommes

Pour la gremolata :

15 ml   (1 c. à soupe) de zestes d'orange

15 ml   (1 c. à soupe) de zestes de citron

15 ml   (1 c. à soupe) de ciboulette hachée

15 ml   (1 c. à soupe) d'aneth haché

5 ml   (1 c. à thé) d'ail haché

5 ml   (1 c. à thé) de fleur de sel

—

1. Faire tremper la planche de cèdre dans l'eau 1 heure (voir les précisions à la page 96 si nécessaire).

2. Au moment de la cuisson, préchauffer le barbecue à puissance moyenne-élevée.

3. Dans un bol, mélanger les ingrédients de la gremolata.

4. Retirer la planche de cèdre de l'eau et l'éponger à l'aide de papier absorbant. Déposer le filet de truite sur la planche.

5. Badigeonner la surface de la truite avec la gelée de pommes. Parsemer de gremolata.

6. Sur la grille chaude du barbecue, déposer la planche de cèdre et fermer le couvercle. Cuire de 20 à 25 minutes, jusqu'à ce que la truite soit cuite.

—

J'aime avec...

Salade de fenouil aux agrumes

Prélever les suprêmes de 2 pamplemousses et de 2 oranges en coupant d'abord l'écorce à vif, puis en tranchant de chaque côté des membranes. Presser les membranes au-dessus d'un saladier pour en récupérer le jus. Fouetter le jus des agrumes avec 60 ml (¼ de tasse) de mayonnaise et 15 ml (1 c. à soupe) de moutarde à l'ancienne. Saler et poivrer. Émincer finement 2 bulbes de fenouil et 8 radis. Ajouter les légumes et les suprêmes dans le saladier. Remuer.

Saumon aux fines herbes

Préparation: 10 minutes – **Trempage:** 1 heure – **Marinage:** 1 heure
Cuisson: 8 minutes – **Quantité:** 4 portions

2	planches de cèdre
4	filets de saumon de 180 g (environ ⅓ de lb) chacun

Pour la marinade:

30 ml	(2 c. à soupe) d'huile d'olive
10 ml	(2 c. à thé) de thym haché
10 ml	(2 c. à thé) de romarin haché
10 ml	(2 c. à thé) de persil haché
10 ml	(2 c. à thé) de zestes de citron
	Sel et poivre au goût

—

1. Faire tremper les planches de cèdre dans l'eau 1 heure (voir les précisions à la page 96 si nécessaire).

2. Dans un bol, mélanger les ingrédients de la marinade. Verser dans un sac hermétique. Ajouter les filets de saumon dans le sac et laisser mariner 1 heure au frais.

3. Au moment de la cuisson, préchauffer le barbecue à puissance moyenne-élevée.

4. Retirer les planches de cèdre de l'eau et les éponger à l'aide de papier absorbant.

5. Égoutter les filets de saumon et déposer sur les planches.

6. Déposer sur la grille chaude du barbecue et fermer le couvercle. Cuire de 8 à 10 minutes, jusqu'à ce que le saumon soit cuit.

—

LE SAVIEZ-VOUS?
—

Préparez vos planches

Quand on a faim, on pourrait bien se passer de la période de trempage des planches! Pour prévenir le coup et gagner du temps, immergez quelques planches dans un contenant rempli d'eau pendant une heure, puis congelez-les. Au moment de l'utilisation, trempez la planche dans l'eau chaude pendant cinq minutes, puis épongez-la.

Filets de porc épicés

Préparation : 20 minutes — **Trempage :** 1 heure — **Réfrigération :** 2 heures
Cuisson : 20 minutes — **Quantité :** 4 portions

1	grande planche de cèdre
720 g	(1 ⅔ lb environ) de filets de porc
15 ml	(1 c. à soupe) d'huile d'olive

Pour l'enrobage :

125 ml	(½ tasse) de tahini (beurre de sésame)
30 ml	(2 c. à soupe) de paprika
15 ml	(1 c. à soupe) de poivre du moulin
15 ml	(1 c. à soupe) de moutarde en poudre
15 ml	(1 c. à soupe) de gros sel
10 ml	(2 c. à thé) de poudre d'oignons
5 ml	(1 c. à thé) de poudre d'ail

—

1. Faire tremper la planche de cèdre dans l'eau 1 heure (voir les précisions à la page 96 si nécessaire).

2. Dans une assiette creuse, mélanger les ingrédients de l'enrobage.

3. Enrober les filets de porc de ce mélange en pressant avec les doigts. Couvrir d'une pellicule plastique et laisser reposer 2 heures au frais.

4. Au moment de la cuisson, préchauffer le barbecue à puissance moyenne.

5. Retirer les planches de l'eau et les éponger à l'aide de papier absorbant. Enduire légèrement les planches d'huile et déposer les filets de porc sur la planche.

6. Déposer la planche sur la grille supérieure du barbecue et fermer le couvercle. Cuire de 20 à 25 minutes.

—

J'aime parce que... C'est tellement parfumé !

Votre saumon cuit au barbecue sur planche de cèdre a fait un malheur au dernier souper estival ? Répétez l'expérience avec une planche d'essence de bois différente (érable, chêne, etc.) et avec une autre variété de poisson, ou encore avec du porc ou du poulet. Cet accessoire de cuisine aromatise les chairs d'un doux parfum fumé.

Poulet et portobellos grillés

Préparation : 20 minutes — **Trempage :** 1 heure — **Marinage :** 1 heure
Cuisson : 25 minutes — **Quantité :** 4 portions

2	planches de cèdre
720 g	(environ 1 ⅔ lb) de poitrines de poulet sans peau
4	champignons portobello coupés en tranches épaisses
4	tiges de thym

Pour la marinade :

45 ml	(3 c. à soupe) d'huile d'olive
45 ml	(3 c. à soupe) de vin blanc
15 ml	(1 c. à soupe) de grains de poivre rose
15 ml	(1 c. à soupe) d'origan haché
10 ml	(2 c. à thé) de poivre du moulin
10 ml	(2 c. à thé) d'ail haché
10 ml	(2 c. à thé) de zestes de citron
	Sel au goût

—

1. Faire tremper les planches de cèdre dans l'eau 1 heure (voir les précisions à la page 96 si nécessaire).

2. Dans un bol, mélanger les ingrédients de la marinade.

3. Transférer la moitié de la marinade dans un sac hermétique et ajouter le poulet dans le sac. Déposer les portobellos dans le bol. Mélanger délicatement et laisser mariner 1 heure au frais.

4. Au moment de la cuisson, préchauffer le barbecue à puissance élevée.

5. Retirer les planches de l'eau et les éponger à l'aide de papier absorbant.

6. Égoutter le poulet et jeter la marinade. Égoutter les portobellos en prenant soin de réserver la marinade.

7. Sur la grille chaude et huilée, faire griller les poitrines et les tranches de portobellos 30 secondes, sans les retourner.

8. Déposer sur les planches, côté grillé des aliments sur le dessus. Badigeonner avec la marinade réservée et ajouter une tige de thym sur chaque poitrine.

9. Régler le barbecue à puissance moyenne. Déposer les planches sur la grille supérieure et fermer le couvercle. Cuire de 25 à 35 minutes.

—

Tilapia à la gelée de pommes

Préparation : 10 minutes — **Trempage** : 1 heure — **Cuisson** : 10 minutes — **Quantité** : 4 portions

2	planches de cèdre
4	filets de tilapia de 180 g (environ ⅓ de lb) chacun
	Sel et poivre au goût
180 ml	(¾ de tasse) de gelée de pommes
15 ml	(1 c. à soupe) de ciboulette hachée
15 ml	(1 c. à soupe) d'aneth haché
5 ml	(1 c. à thé) de cari

—

1. Faire tremper les planches de cèdre dans l'eau 1 heure (voir les précisions à la page 96 si nécessaire).

2. Au moment de la cuisson, préchauffer le barbecue à puissance moyenne-élevée.

3. Déposer les filets de tilapia sur les planches. Saler et poivrer.

4. Badigeonner les filets de gelée de pommes. Parsemer de ciboulette et d'aneth, puis saupoudrer de cari.

5. Sur la grille chaude du barbecue, déposer les planches. Fermer le couvercle et régler à puissance moyenne. Cuire de 10 à 12 minutes.

—

Filets de doré érable et ricotta

Préparation: 10 minutes — **Trempage:** 1 heure — **Cuisson:** 10 minutes — **Quantité:** 4 portions

2	planches de cèdre
4	filets de doré de 180 g (environ ⅓ de lb) chacun
15 ml	(1 c. à soupe) de sirop d'érable
45 ml	(3 c. à soupe) de ricotta
30 ml	(2 c. à soupe) d'oignon vert émincé
	Sel et poivre du moulin au goût

—

1. Faire tremper les planches de cèdre dans l'eau 1 heure (voir les précisions à la page 96 si nécessaire).

2. Au moment de la cuisson, préchauffer le barbecue à puissance moyenne-élevée.

3. Déposer les filets de doré sur les planches et les badigeonner de sirop d'érable.

4. Mélanger la ricotta avec l'oignon vert. Étendre sur les filets. Saler et poivrer.

5. Sur la grille chaude du barbecue, déposer les planches. Fermer le couvercle et régler le barbecue à puissance moyenne. Cuire de 10 à 15 minutes.

—

Saumon aux graines de sésame

Préparation: 15 minutes — **Trempage:** 1 heure — **Cuisson:** 15 minutes — **Quantité:** 12 portions

1	grande planche de cèdre ou d'érable
60 ml	(¼ de tasse) de graines de sésame blanches
60 ml	(¼ de tasse) de graines de sésame noires
45 ml	(3 c. à soupe) de miel
15 ml	(1 c. à soupe) de ciboulette hachée
5 ml	(1 c. à thé) de harissa
	Sel au goût
15 ml	(1 c. à soupe) d'huile d'olive
1	filet de saumon de 625 g (environ 1 ⅓ lb) sans peau

—

1. Faire tremper la planche de bois dans l'eau 1 heure (voir les précisions à la page 96 si nécessaire).

2. Dans un bol, mélanger les graines de sésame avec le miel, la ciboulette, la harissa et le sel. Réserver.

3. Au moment de la cuisson, préchauffer le barbecue à puissance élevée.

4. Retirer la planche de l'eau et l'éponger. Placer la planche sur la grille du barbecue et chauffer de 3 à 4 minutes.

5. Badigeonner la planche d'huile. Déposer le filet de saumon sur la planche, puis le couper en douze carrés. Espacer les carrés. Répartir le mélange aux graines de sésame sur les carrés de saumon.

6. Régler le barbecue à puissance moyenne et déposer la planche sur la grille chaude. Fermer le couvercle et cuire de 15 à 20 minutes.

—

Délices express

Il y a de ces repas qui charment par leur simplicité et par leur haut degré de satisfaction gustative ! Pour les soupers de semaine sur le pouce ou pour régaler la tablée à l'occasion d'une soirée improvisée entre amis, les recettes qui nécessitent peu de préparation ne sont jamais de trop !

Filets de porc farcis aux tomates séchées

Préparation : 15 minutes — **Cuisson :** 18 minutes — **Quantité :** 4 portions

650 g (environ 1 ½ lb) de filets de porc

Pour la farce :

125 ml (½ tasse) de tomates séchées émincées

60 ml (¼ de tasse) de parmesan râpé

60 ml (¼ de tasse) de noix de pin grillées

30 ml (2 c. à soupe) de basilic émincé

10 ml (2 c. à thé) d'ail haché

Sel et poivre au goût

—

1. Dans un bol, mélanger les ingrédients de la farce.

2. Préchauffer le barbecue à puissance moyenne-élevée.

3. Parer les filets de porc en retirant la membrane blanche, puis les farcir en suivant les étapes présentées ci-dessous.

4. Sur la grille chaude et huilée du barbecue, déposer les filets et fermer le couvercle. Cuire de 18 à 20 minutes, jusqu'à ce que la température interne de la viande atteigne 68 °C (155 °F) sur un thermomètre à cuisson.

—

C'EST FACILE ! — Farcir un filet de porc

1 À l'aide d'un couteau, inciser le filet sur toute sa longueur. Prendre soin de ne pas couper entièrement la pièce de viande en deux.

2 Ouvrir le filet et le placer entre deux feuilles de pellicule plastique. Au moyen d'un attendrisseur à viande ou d'un rouleau à pâte, aplatir le filet afin d'obtenir une escalope d'environ 1 cm (½ po) d'épaisseur.

3 Répartir la farce sur le filet. Rouler sur la longueur en serrant bien. Maintenir fermé à l'aide de cure-dents.

Satays de veau au paprika fumé

Préparation : 15 minutes — **Cuisson :** 2 minutes — **Quantité :** 4 portions

4	escalopes de veau
30 ml	(2 c. à soupe) d'huile d'olive
30 ml	(2 c. à soupe) de sauce soya
15 ml	(1 c. à soupe) de cassonade
15 ml	(1 c. à soupe) de sauge hachée
2,5 ml	(½ c. à thé) de paprika fumé
5 ml	(1 c. à thé) d'ail haché

—

1. Préchauffer le barbecue à puissance moyenne-élevée.

2. Couper les escalopes de veau en lanières sur la longueur.

3. Dans un bol, mélanger tous les ingrédients, à l'exception du veau. Ajouter les lanières de veau et remuer pour bien les enrober de marinade.

4. Sur des brochettes, piquer les lanières de veau en les faisant onduler.

5. Sur la grille chaude et huilée du barbecue, cuire les satays de 1 à 2 minutes de chaque côté.

—

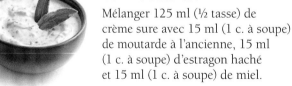

J'aime avec...

Crème sure estragon et moutarde

Mélanger 125 ml (½ tasse) de crème sure avec 15 ml (1 c. à soupe) de moutarde à l'ancienne, 15 ml (1 c. à soupe) d'estragon haché et 15 ml (1 c. à soupe) de miel.

Darnes de saumon et salade de feta

Préparation : 15 minutes — **Cuisson** : 12 minutes — **Quantité** : 4 portions

15 ml	(1 c. à soupe) d'assaisonnement méditerranéen pour poissons et fruits de mer
80 ml	(⅓ de tasse) d'huile d'olive
15 ml	(1 c. à soupe) de jus de lime
4	darnes de saumon
750 ml	(3 tasses) de mesclun
1	contenant de feta à l'origan de 200 g, coupée en dés
12	tomates raisins coupées en deux
2	mini-concombres émincés

—

1. Préchauffer le barbecue à puissance moyenne-élevée.

2. Dans un saladier, mélanger 5 ml (1 c. à thé) d'assaisonnement pour poissons avec l'huile d'olive et le jus de lime. Prélever 15 ml (1 c. à soupe) de la préparation et badigeonner les darnes de saumon des deux côtés.

3. Sur la grille chaude et huilée du barbecue, cuire les darnes 12 minutes, en les retournant quatre fois en cours de cuisson.

4. Dans le saladier, ajouter le mesclun, la feta, les tomates et les mini-concombres. Remuer. Servir avec les darnes.

—

LE SAVIEZ-VOUS ?
—

Tellement savoureuses, les darnes !

Les darnes de saumon, d'espadon, de thon, de doré ou de flétan sont issues de la partie médiane du poisson et se distinguent par leur goût légèrement plus prononcé. Il est possible de les cuire de nombreuses façons pour révéler leur pleine saveur : pochées, braisées, grillées au four ou au barbecue. Afin de conserver leur forme, repliez les extrémités vers le milieu et fixez-les à l'aide d'une ficelle ou d'un cure-dent. La cuisson idéale des darnes est atteinte lorsque l'arête centrale se détache facilement de la chair. On les trouve fraîches ou surgelées en portions d'environ 200 g (½ lb).

Tournedos de bœuf grillés
à la salsa de tomates et mangue

Préparation : 15 minutes — **Cuisson :** 6 minutes — **Quantité :** 4 portions

1	petit oignon rouge
3	tomates italiennes
1	mangue
30 ml	(2 c. à soupe) d'huile d'olive
30 ml	(2 c. à soupe) de coriandre hachée
15 ml	(1 c. à soupe) de jus de citron
	Sel et poivre au goût
4	tournedos de bœuf d'intérieur de ronde

1. Préchauffer le barbecue à puissance moyenne-élevée.

2. Tailler l'oignon rouge, les tomates et la mangue en dés. Déposer dans un bol. Mélanger avec l'huile, la coriandre et le jus de citron. Saler et poivrer.

3. Sur la grille chaude et huilée du barbecue, cuire les tournedos de 3 à 4 minutes de chaque côté pour une cuisson saignante. Servir avec la salsa.

—

C'est coloré !

Les assiettes qui exhibent une profusion de couleurs, d'ingrédients et de saveurs sont inspirantes. Manger coloré est généralement synonyme de choix judicieux. Bien souvent générées par la présence de fruits et de légumes, les couleurs éclatantes sont gage de fraîcheur et de subtilités gustatives qui réveillent le palais à tout coup. En plus de mettre vos convives en appétit avec un plat haut en couleur, vous pourrez faire le plein de fibres, de vitamines, de minéraux et d'antioxydants aux propriétés indéniables. Aussi bon pour les yeux que pour les papilles !

Crevettes à la lime

Préparation : 10 minutes — **Marinage :** 30 minutes (facultatif)
Cuisson : 4 minutes — **Quantité :** 4 portions

16	grosses crevettes (calibre 21/25), crues et décortiquées
180 ml	(¾ de tasse) de sauce barbecue
30 ml	(2 c. à soupe) de jus de lime
1	piment thaï haché
15 ml	(1 c. à soupe) d'huile de sésame (non grillé)

—

1. Préchauffer le barbecue à puissance moyenne-élevée.

2. Dans un bol, mélanger les crevettes avec la moitié de la sauce barbecue, le jus de lime, le piment thaï et l'huile de sésame. Laisser mariner 30 minutes au frais, si désiré.

3. Sur la grille chaude et huilée du barbecue, cuire les crevettes de 4 à 5 minutes.

4. Servir avec le reste de la sauce barbecue.

—

J'aime aussi... Sauce barbecue version maison

Dans une casserole, chauffer 15 ml (1 c. à soupe) d'huile d'olive à feu moyen et saisir 1 oignon haché. Ajouter 10 ml (2 c. à thé) d'ail haché, 60 ml (¼ de tasse) de cassonade, 375 ml (1 ½ tasse) de ketchup, 15 ml (1 c. à soupe) de moutarde de Dijon, 30 ml (2 c. à soupe) de vinaigre de vin rouge et 2 tomates coupées en dés. Laisser mijoter de 4 à 5 minutes à feu moyen. Réduire en sauce homogène à l'aide du mélangeur, si désiré.

Brochettes de saucisses aux litchis et papaye

Préparation : 15 minutes — **Cuisson :** 8 minutes — **Quantité :** 4 portions

½	papaye
1	poivron rouge
1	paquet de saucisses précuites de 500 g
1	boîte de litchis de 540 ml, égouttés
15 ml	(1 c. à soupe) de moutarde à l'ancienne
45 ml	(3 c. à soupe) d'huile d'olive
15 ml	(1 c. à soupe) de miel
30 ml	(2 c. à soupe) de vinaigre de cidre
10 ml	(2 c. à thé) d'ail haché

—

1. Préchauffer le barbecue à puissance moyenne-élevée.

2. Tailler la papaye et le poivron en cubes. Couper les saucisses en 24 morceaux. Piquer sur des brochettes en faisant alterner avec les morceaux de papaye, de poivron et les litchis.

3. Dans un bol, mélanger la moutarde avec l'huile, le miel, le vinaigre et l'ail.

4. Sur la grille chaude et huilée du barbecue, cuire les brochettes de 8 à 10 minutes, en les badigeonnant régulièrement avec la sauce en cours de cuisson et en les retournant fréquemment.

—

J'aime aussi... Avec de l'ananas et de la mangue

Pour varier la recette et donner lieu à des délices aussi surprenants que délicieux, diversifiez les fruits et légumes selon vos préférences… et les rabais du supermarché ! Par exemple, vous pourriez remplacer la papaye par de la mangue et les litchis par des ananas. Laissez aller votre imagination et réinventez l'exotisme de ce mets estival !

Poitrines de poulet citron et basilic

Préparation : 15 minutes — **Marinage :** 1 heure
Cuisson : 12 minutes — **Quantité :** 4 portions

1	citron
80 ml	(⅓ de tasse) d'huile d'olive
15 ml	(1 c. à soupe) de moutarde de Dijon
15 ml	(1 c. à soupe) de gingembre haché
80 ml	(⅓ de tasse) de basilic émincé
15 ml	(1 c. à soupe) d'ail haché
2	oignons verts émincés
	Poivre au goût
4	poitrines de poulet sans peau

—

1. Prélever les zestes et le jus du citron. Dans un bol, fouetter le jus de citron avec les zestes, l'huile, la moutarde, le gingembre, le basilic, l'ail et les oignons verts. Poivrer.

2. Verser la moitié de la marinade dans un sac hermétique et ajouter les poitrines. Laisser mariner au frais de 1 à 8 heures.

3. Au moment de la cuisson, préchauffer le barbecue à puissance moyenne-élevée. Égoutter les poitrines et jeter la marinade.

4. Sur la grille chaude et huilée, cuire les poitrines de 12 à 13 minutes, en les retournant et en les badigeonnant de temps en temps avec la marinade réservée, jusqu'à ce que l'intérieur de la chair ait perdu sa teinte rosée.

—

LE SAVIEZ-VOUS ?
—

Du gingembre en pot

Après le boulot et les courses effectuées à la hâte, vous tentez de gagner de précieuses minutes en cuisine ? Pour les recettes contenant du gingembre, procurez-vous le produit déjà haché en pot, offert dans les supermarchés et les épiceries fines. Vous pouvez également râper votre gingembre à l'avance et le congeler dans des bacs à glaçons afin d'avoir des portions toutes prêtes à portée de main.

Côtelettes de porc à la forestière

Préparation : 15 minutes — **Cuisson :** 10 minutes — **Quantité :** 4 portions

1	sachet de sauce demi-glace de 34 g
30 ml	(2 c. à soupe) de beurre
30 ml	(2 c. à soupe) d'échalote sèche hachée
1	casseau de champignons émincés
15 ml	(1 c. à soupe) de moutarde de Dijon
5 ml	(1 c. à thé) d'ail haché
30 ml	(2 c. à soupe) d'estragon haché
30 ml	(2 c. à soupe) d'huile d'olive
4	côtelettes de porc, le gras enlevé

1. Préchauffer le barbecue à puissance moyenne-élevée.

2. Préparer la sauce demi-glace selon les indications de l'emballage.

3. Dans une autre casserole, faire fondre le beurre. Cuire l'échalote et les champignons 2 minutes.

4. Ajouter la moutarde, l'ail, l'estragon et la sauce demi-glace. Laisser mijoter 3 minutes, puis réserver au chaud.

5. Sur la grille chaude et huilée du barbecue, déposer les côtelettes et fermer le couvercle. Cuire de 4 à 5 minutes de chaque côté. Servir avec la sauce.

J'aime avec...

Pommes de terre grelots à l'ail et moutarde à l'ancienne

Mélanger 30 ml (2 c. à soupe) de moutarde à l'ancienne avec 30 ml (2 c. à soupe) de persil haché, 10 ml (2 c. à thé) d'ail haché et 60 ml (¼ de tasse) d'huile d'olive. Saler et poivrer. Ajouter 20 pommes de terre grelots coupées en deux et remuer. Piquer les pommes de terre sur des brochettes. Cuire au barbecue 25 minutes à puissance moyenne-élevée en retournant les brochettes de temps en temps.

Poitrines de poulet à l'indienne

Préparation : 15 minutes — **Cuisson :** 12 minutes — **Quantité :** 4 portions

125 ml	(½ tasse) de yogourt nature
15 ml	(1 c. à soupe) de cari
10 ml	(2 c. à thé) d'ail haché
1	boîte de lait de coco de 400 ml
4	poitrines de poulet sans peau
	Sel et poivre au goût
	—

1. Préchauffer le barbecue à puissance moyenne-élevée.

2. Dans un bol, fouetter le yogourt avec le cari, l'ail et le lait de coco. Verser les trois quarts de la préparation dans une casserole et réserver. Ajouter les poitrines de poulet dans le bol et remuer pour bien les enrober.

3. Sur la grille chaude et huilée, déposer les poitrines. Cuire de 5 à 6 minutes de chaque côté, jusqu'à ce que l'intérieur de la viande ait perdu sa teinte rosée.

4. Pendant ce temps, porter la préparation dans la casserole à ébullition, puis laisser mijoter de 2 à 3 minutes à feu moyen. Saler et poivrer. Servir avec le poulet.

—

Filets de porc à l'ail et au romarin

Préparation : 10 minutes — **Cuisson :** 20 minutes — **Quantité :** 4 portions

720 g	(environ 1 ⅔ lb) de filets de porc
1	gousse d'ail pelée et coupée en six
4	tiges de romarin
15 ml	(1 c. à soupe) d'huile d'olive
	Sel et poivre du moulin au goût

—

1. Préchauffer le barbecue à puissance moyenne.

2. À l'aide d'un petit couteau, pratiquer de légères incisions dans les filets de porc et y insérer les morceaux d'ail. Piquer les tiges de romarin dans la largeur des filets de porc. Badigeonner les filets d'huile. Saler et poivrer.

3. Sur la grille chaude et huilée du barbecue, cuire les filets de 20 à 30 minutes, en les retournant plusieurs fois en cours de cuisson.

—

On sort des sentiers battus

Le barbecue évoque bien souvent le traditionnel steak grillé à point et délicieusement fumé, mais il ne faut surtout pas s'y limiter ! Faites l'expérience de mets peu communs, de viandes inexplorées, de marinades originales et de desserts grillés pour réinventer la cuisson classique au barbecue.

Thon grillé
au pesto de roquette

Préparation : 15 minutes — **Cuisson :** 2 minutes — **Quantité :** 4 portions

30 ml	(2 c. à soupe) de pesto de roquette (de type Sardo)
15 ml	(1 c. à soupe) de miel
2,5 ml	(½ c. à thé) de piment d'Espelette
15 ml	(1 c. à soupe) de jus de lime
4	steaks de thon de 2 cm (¾ de po) d'épaisseur
	Sel au goût

—

1. Préchauffer le barbecue à puissance moyenne-élevée.

2. Dans un bol, mélanger le pesto avec le miel, le piment d'Espelette et le jus de lime.

3. Badigeonner les steaks de thon des deux côtés avec la préparation. Saler.

4. Sur la grille chaude et huilée du barbecue, cuire le thon de 1 à 2 minutes de chaque côté.

—

J'aime avec...

Papillote de légumes au tahini

Dans un bol, mélanger 30 ml (2 c. à soupe) de tahini avec 15 ml (1 c. à soupe) de zestes de citron, 30 ml (2 c. à soupe) d'huile d'olive et 30 ml (2 c. à soupe) de persil haché. Saler et poivrer. Ajouter 2 carottes émincées, ½ chou-fleur taillé en petits bouquets et 200 g (environ ½ lb) de pois sucrés. Remuer. Déposer les légumes sur une feuille de papier d'aluminium et replier afin de former une papillote hermétique. Cuire sur le barbecue de 20 à 25 minutes à puissance moyenne-élevée.

Poitrines de canard abricot et gingembre

Préparation : 15 minutes — **Cuisson :** 14 minutes — **Quantité :** 4 portions

3 ou 4   poitrines de canard
           d'environ 180 g
           (environ ⅓ de lb)
           chacune

           Sel et poivre du moulin
           au goût

Pour le glaçage abricot-gingembre :

80 ml   (⅓ de tasse) de gelée
           d'abricots

30 ml   (2 c. à soupe) de jus de lime

15 ml   (1 c. à soupe) de gingembre
           haché

—

1. Préchauffer un seul côté du barbecue à puissance élevée.

2. Parer les poitrines de canard en suivant les indications présentées ci-dessous. Saler et poivrer.

3. Mélanger les ingrédients du glaçage abricot-gingembre.

4. Sur la grille chaude et huilée du barbecue, déposer les poitrines côté peau du côté du brûleur allumé. Cuire 1 minute de chaque côté.

5. Déplacer les poitrines du côté du brûleur éteint sans les retourner, puis les badigeonner de glaçage abricot-gingembre. Fermer le couvercle et cuire 10 minutes.

6. Placer les poitrines côté chair sur la grille au-dessus du brûleur allumé. Cuire de 2 à 3 minutes pour une cuisson rosée.

7. Déposer les poitrines sur une planche à découper. Couvrir de papier d'aluminium, sans serrer. Laisser reposer de 6 à 8 minutes avant de trancher.

—

C'EST FACILE ! Parer les poitrines de canard

La poitrine de canard, moins grasse que le magret, se prête bien à la cuisson au barbecue. Pour éviter les flambées et obtenir une chair tendre et savoureuse, il importe de bien la parer.

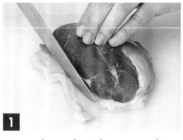

1 Retirer l'excédent de gras sur le pourtour de la poitrine à l'aide d'un couteau. Laisser une bordure de gras d'environ 0,5 cm (¼ de po) afin d'éviter que la peau ne rétrécisse trop à la cuisson.

2 Retourner la poitrine et inciser le gras en quadrillé à environ tous les 2 cm (¾ de po), en prenant soin de ne pas entailler la chair. Cela aide la chaleur à pénétrer dans la chair et empêche la peau de rétrécir à la cuisson, ce qui ferait se contracter la viande.

Pizza aux tomates et poivrons

Préparation : 15 minutes — **Cuisson :** 10 minutes — **Quantité :** 4 portions

450 g	(1 lb) de pâte à pizza
2	poivrons jaunes, coupés en deux et épépinés
4	tomates
180 ml	(¾ de tasse) de sauce à pizza ou de sauce marinara
500 ml	(2 tasses) de mozzarella râpée
30 ml	(2 c. à soupe) d'huile d'olive
	Sel et poivre du moulin au goût
30 ml	(2 c. à soupe) de basilic haché

—

1. Si désiré, préparer l'huile piquante (voir recette ci-dessous). Réserver.

2. Préchauffer le barbecue à puissance moyenne-élevée.

3. Sur une surface farinée, abaisser la pâte en deux rectangles de 30 cm x 20 cm (12 po x 8 po).

4. Sur la grille chaude du barbecue, cuire les demi-poivrons de 3 à 4 minutes. Retirer du feu, laisser tiédir et émincer.

5. Régler le barbecue à puissance moyenne.

6. Trancher les tomates.

7. Déposer les rectangles de pâte sur la grille chaude et légèrement huilée du barbecue. Faire griller de 2 à 3 minutes, jusqu'à ce que le dessous de la pâte s'affermisse. Déposer sur une plaque de cuisson, côté grillé sur le dessus.

8. Étaler la sauce sur les rectangles de pâte, puis garnir de fromage, de tomates et de poivrons. Arroser d'un filet d'huile d'olive. Saler et poivrer.

9. Déposer de nouveau les pizzas directement sur la grille chaude du barbecue et fermer le couvercle. Cuire 5 minutes, jusqu'à ce que le fromage soit fondu.

10. Parsemer les pizzas de basilic et, si désiré, arroser d'huile piquante.

—

J'aime avec...

Huile piquante aux herbes

Mélanger 60 ml (¼ de tasse) d'huile d'olive avec 1 piment thaï haché finement, 15 ml (1 c. à soupe) de basilic émincé et 15 ml (1 c. à soupe) d'origan haché.

Bavette de wapiti marinée au vin rouge et à l'échalote

Préparation : 5 minutes — **Marinage :** 2 heures
Cuisson : 4 minutes — **Quantité :** 4 portions

1	gousse d'ail hachée finement
125 ml	(½ tasse) de vin rouge
1	échalote sèche hachée finement
30 ml	(2 c. à soupe) d'huile d'olive
15 ml	(1 c. à soupe) de moutarde de Dijon
4	bavettes de wapiti d'environ 150 g (⅓ de lb) chacune
	Sel et poivre au goût
	Quelques tiges de persil hachées

—

1. Dans un sac hermétique, mélanger l'ail avec le vin rouge, l'échalote, l'huile d'olive et la moutarde de Dijon. Ajouter les bavettes dans le sac. Refermer le sac et secouer pour bien enrober la viande de marinade. Laisser mariner au réfrigérateur au moins 2 heures.

2. Au moment de la cuisson, préchauffer le barbecue à puissance moyenne-élevée. Égoutter les bavettes et jeter la marinade.

3. Sur la grille chaude et huilée du barbecue, déposer les bavettes et cuire de 2 à 3 minutes de chaque côté pour une cuisson rosée. Saler, poivrer et parsemer de persil avant de servir.

—

LE SAVIEZ-VOUS ?
—

Le wapiti est riche en fer

Le wapiti est une viande maigre, cinq fois moins grasse que le bœuf. Riche en protéines, en vitamines B ainsi qu'en fer, on la considère comme un choix sain. Pour un résultat optimal, faites-la cuire rapidement à feu vif pour éviter qu'elle ne s'assèche. Cette viande rouge aux saveurs généreuses est offerte dans certains supermarchés et dans plusieurs boucheries.

Paëlla sur le barbecue

Préparation : 30 minutes — **Cuisson :** 25 minutes — **Quantité :** de 4 à 6 portions

10	pistils de safran
125 ml	(½ tasse) de vin blanc sec
8	pilons de poulet sans peau
30 ml	(2 c. à soupe) d'huile d'olive
1	oignon coupé en cubes
200 g	(environ ½ lb) de chorizo émincé
1	poivron rouge coupé en cubes
15 ml	(1 c. à soupe) d'ail haché
500 ml	(2 tasses) de riz blanc à grains longs

625 ml	(2 ½ tasses) de bouillon de poulet
2	tomates épépinées et coupées en cubes
	Sel et poivre au goût
12	grosses crevettes (calibre 21/25), crues et décortiquées
12	moules
125 ml	(½ tasse) de pois verts
30 ml	(2 c. à soupe) de persil haché
	—

1. Faire tremper le safran dans le vin.

2. Préchauffer le barbecue à puissance moyenne-élevée.

3. Sur la grille chaude et huilée, cuire les pilons de 2 à 3 minutes de chaque côté.

4. Sur la grille, chauffer un grand poêlon à fond épais. Verser l'huile et cuire l'oignon, le chorizo et le poivron rouge de 3 à 4 minutes.

5. Ajouter l'ail et le riz. Cuire de 1 à 2 minutes en remuant, jusqu'à ce que le riz soit bien enrobé d'huile.

6. Ajouter le bouillon, les tomates, le vin et le safran. Saler et poivrer. Chauffer jusqu'aux premiers frémissements, puis ajouter les pilons. Cuire 20 minutes sans fermer le couvercle.

7. Ajouter le reste des ingrédients. Fermer le couvercle. Cuire 5 minutes, jusqu'à ce que le riz soit cuit.

—

Tataki de marlin en croûte d'épices

Préparation : 20 minutes — **Marinage** : 20 minutes — **Cuisson** : 2 minutes — **Quantité** : 4 portions

4	filets de marlin

Pour la marinade :

45 ml	(3 c. à soupe) de jus de lime
30 ml	(2 c. à soupe) de sauce soya
30 ml	(2 c. à soupe) de mirin

Pour la croûte d'épices :

30 ml	(2 c. à soupe) de graines de pavot
15 ml	(1 c. à soupe) de cassonade
15 ml	(1 c. à soupe) de zestes de lime
15 ml	(1 c. à soupe) de gingembre haché
5 ml	(1 c. à thé) de graines de cumin

—

1. Dans un bol, mélanger les ingrédients de la marinade. Ajouter le marlin dans le bol et laisser mariner 20 minutes au frais.

2. Au moment de la cuisson, préchauffer le barbecue à puissance moyenne-élevée.

3. Égoutter le poisson et jeter la marinade. Assécher à l'aide de papier absorbant.

4. Dans un autre bol, mélanger les ingrédients pour la croûte d'épices. Assaisonner les filets avec le mélange et presser légèrement afin qu'il adhère bien au poisson.

5. Sur la grille chaude et huilée du barbecue, cuire les filets de marlin de 1 à 2 minutes de chaque côté, en prenant soin que l'intérieur de la chair demeure rosée.

—

Pain doré sur le barbecue, sauce au chocolat

Préparation : 15 minutes — **Cuisson :** 4 minutes — **Quantité :** 4 portions

3	œufs
250 ml	(1 tasse) de lait
30 ml	(2 c. à soupe) de zestes d'orange
60 ml	(¼ de tasse) de sucre
3	gouttes de vanille
8	tranches de pain de 2 cm (¾ de po) d'épaisseur
125 ml	(½ tasse) de crème à cuisson 15 %
90 g	de chocolat noir 70 % coupé en morceaux

—

1. Préchauffer le barbecue à puissance moyenne-élevée.

2. Dans un bol, fouetter les œufs avec le lait, les zestes, le sucre et la vanille.

3. Déposer les tranches de pain dans la préparation et laisser tremper afin de les imbiber légèrement. Le pain ne doit pas être trop lourd pour être retourné sur la grille.

4. Égoutter les tranches de pain. Sur la grille chaude et huilée du barbecue, cuire les tranches de 1 à 2 minutes de chaque côté. Déposer sur la grille du haut, fermer le couvercle et prolonger la cuisson de 2 à 3 minutes.

5. Pendant ce temps, préparer la sauce au chocolat. Dans une casserole, chauffer la crème à feu moyen jusqu'aux premiers frémissements. Éteindre le feu et ajouter les morceaux de chocolat. Laisser fondre et remuer.

6. Servir le pain doré avec la sauce au chocolat.

—

LE SAVIEZ-VOUS ?
—

Comment cuire le pain doré sur le barbecue

Cuire du pain doré sur la grille du barbecue ? Oui, c'est possible ! Et c'est même succulent ! Choisissez un pain qui conservera une belle consistance une fois imbibé. Vous éviterez ainsi que les tranches ne se défassent entre les grilles. Un pain baguette ou un pain tranché de la veille auront une meilleure tenue. Conseils pratiques pour réussir votre pain doré sur le barbecue : huilez généreusement la grille et ne laissez pas votre pain tremper trop longtemps dans la préparation aux œufs.

Ananas grillé au rhum

Préparation : 10 minutes — Marinage : 30 minutes
Cuisson : 4 minutes — Quantité : 4 portions

80 ml	(⅓ de tasse) de rhum
45 ml	(3 c. à soupe) de cassonade
½	ananas pelé
500 ml	(2 tasses) de crème glacée à la vanille
½	contenant de tire d'érable de 140 g
	Quelques feuilles de menthe
	—

1. Mélanger le rhum avec la cassonade.

2. Couper le demi-ananas en quatre tranches. Déposer les tranches d'ananas dans la préparation au rhum. Laisser mariner 30 minutes au frais, en retournant les tranches après 15 minutes.

3. Préchauffer le barbecue à puissance moyenne-élevée.

4. Sur la grille chaude et huilée du barbecue, griller les tranches d'ananas de 2 à 3 minutes de chaque côté. Badigeonner avec la préparation au rhum en cours de cuisson.

5. Servir avec la crème glacée et la tire d'érable. Si désiré, décorer de feuilles de menthe.

—

J'aime parce que...

C'est original !

Le barbecue n'est pas réservé aux mets salés ! Pour ceux qui aiment les saveurs caramélisées qui ajoutent du pep dans l'assiette, faites griller vos fruits frais, bien fermes et mûrs. En plus de mettre en vedette leurs sucres naturels, vous revisiterez vos fruits préférés dans une texture et à une température différentes. Certains fruits se prêtent mieux à ce type de cuisson : pêches, prunes, abricots, pommes, poires, oranges, fraises, ananas, etc. Pourquoi ne pas essayer les brochettes de fruits au barbecue ? C'est frais, santé et délicieux !

En version légère

L'été, on privilégie les repas plus légers, mais pour célébrer les beaux jours, on raffole des partys-barbecue sur la terrasse... Et barbecue rime souvent avec garnitures riches, féculents et marinades à l'huile qui font grimper les calories. Voici des recettes minceur pour se régaler sans nuire à sa santé !

Poitrines de poulet grillées à la coriandre

Préparation : 15 minutes — **Marinage :** 1 heure
Cuisson : 30 minutes — **Quantité :** 4 portions

125 ml	(½ tasse) de vin blanc
60 ml	(¼ de tasse) de jus de citron
15 ml	(1 c. à soupe) de graines de coriandre écrasées
15 ml	(1 c. à soupe) d'huile d'olive
10 ml	(2 c. à thé) de graines de cumin
1	oignon haché
1	tige de thym
4	poitrines de poulet sans peau

—

1. Dans un bol, mélanger tous les ingrédients, à l'exception des poitrines de poulet.

2. Verser la marinade dans un sac hermétique et ajouter les poitrines. Laisser mariner de 1 à 8 heures au frais.

3. Au moment de la cuisson, préchauffer le barbecue à puissance moyenne-élevée. Égoutter les poitrines et jeter la marinade.

4. Sur la grille chaude et huilée du barbecue, déposer les poitrines et fermer le couvercle. Cuire de 30 à 35 minutes, jusqu'à ce que l'intérieur de la chair du poulet ait perdu sa teinte rosée, en retournant les poitrines de temps en temps en cours de cuisson.

—

PAR PORTION	
Calories	271
Protéines	41 g
Matières grasses	7 g
Glucides	3 g
Fibres	1 g
Fer	2 mg
Calcium	34 mg
Sodium	104 mg

J'aime avec...

Papillote de légumes au cumin

Dans un saladier, mélanger 30 ml (2 c. à soupe) d'huile d'olive avec 3 demi-poivrons de couleurs variées émincés, 8 asperges coupées en morceaux, 12 tomates cerises coupées en deux et 2,5 ml (½ c. à thé) de graines de cumin. Saler, poivrer et remuer. Déposer la préparation sur une grande feuille de papier d'aluminium et sceller de manière à former une papillote hermétique. Déposer sur la grille du barbecue et fermer le couvercle. Cuire de 10 à 12 minutes à puissance moyenne-élevée, jusqu'à ce que la papillote soit gonflée.

Filets de truite saumonée à l'italienne

Préparation : 15 minutes – **Cuisson :** 8 minutes – **Quantité :** 4 portions

30 ml	(2 c. à soupe) de basilic émincé
60 ml	(¼ de tasse) de parmesan râpé
2	tomates italiennes coupées en dés
15 ml	(1 c. à soupe) de zestes de citron
5 ml	(1 c. à thé) d'ail haché
30 ml	(2 c. à soupe) d'huile d'olive
	Sel et poivre au goût
1	filet de truite saumonée de 700 g (environ 1 ½ lb) coupé en quatre morceaux

—

1. Préchauffer le barbecue à puissance moyenne-élevée.

2. Dans un bol, mélanger le basilic avec le parmesan, les dés de tomates, les zestes, l'ail et l'huile. Saler et poivrer.

3. Déposer les filets de truite, côté chair, sur la grille chaude et huilée du barbecue. Cuire de 3 à 4 minutes de chaque côté.

4. Répartir la préparation aux tomates sur les filets et prolonger la cuisson de 2 minutes.

—

PAR PORTION	
Calories	228
Protéines	25 g
Matières grasses	13,3 g
Glucides	2 g
Fibres	0,6 g
Fer	0,6 mg
Calcium	101 mg
Sodium	173 mg

J'aime avec...

Pommes de terre thym et coriandre

Trancher 3 grosses pommes de terre. Déposer dans un bol et mélanger avec 15 ml (1 c. à soupe) d'huile d'olive, 10 ml (2 c. à thé) de thym haché et 5 ml (1 c. à thé) de graines de coriandre écrasées. Saler et poivrer. Cuire les pommes de terre de 10 à 12 minutes sur le barbecue à puissance moyenne-élevée.

Côtelettes de porc et chutney aux fraises

Préparation : 15 minutes — **Cuisson :** 15 minutes — **Quantité :** 4 portions

15 ml	(1 c. à soupe) d'huile olive
1	petit oignon rouge coupé en dés
15 ml	(1 c. à soupe) de gingembre haché
10 à 12	fraises coupées en dés
15 ml	(1 c. à soupe) de moutarde à l'ancienne
180 ml	(¾ de tasse) de marmelade
10 ml	(2 c. à thé) de thym haché
4	côtelettes de porc de 2 cm (¾ de po) d'épaisseur

—

1. Préchauffer le barbecue à puissance moyenne-élevée.

2. Dans une casserole, chauffer l'huile à feu moyen. Cuire l'oignon rouge et le gingembre de 1 à 2 minutes.

3. Ajouter les fraises, la moutarde, la marmelade et le thym. Saler et poivrer. Laisser mijoter de 6 à 8 minutes à feu doux-moyen.

4. Saler et poivrer les côtelettes. Sur la grille chaude et huilée du barbecue, cuire les côtelettes de 8 à 10 minutes, en retournant quatre fois en cours de cuisson. Servir avec le chutney aux fraises.

—

PAR PORTION	
Calories	395
Protéines	23 g
Matières grasses	13 g
Glucides	47 g
Fibres	2 g
Fer	1 mg
Calcium	54 mg
Sodium	170 mg

J'aime avec... Salade verte à la lime

Dans un saladier, fouetter 60 ml (¼ de tasse) d'huile d'olive avec 15 ml (1 c. à soupe) de jus de lime et 15 ml (1 c. à soupe) de zestes de lime. Saler et poivrer. Ajouter 750 ml (3 tasses) de laitue verte frisée déchiquetée et 16 tomates cerises jaunes coupées en deux. Remuer.

Poulet grillé à la lime et chutney à la mangue

Préparation : 15 minutes — **Cuisson :** 12 minutes — **Quantité :** 4 portions

125 ml	(½ tasse) de chutney à la mangue
15 ml	(1 c. à soupe) de zestes de lime
5 ml	(1 c. à thé) de cari
30 ml	(2 c. à soupe) de coriandre hachée
4	poitrines de poulet sans peau
4	tranches de bacon

—

1. Préchauffer le barbecue à puissance moyenne-élevée.

2. Dans un bol, mélanger le chutney avec les zestes, le cari et la coriandre.

3. Inciser les poitrines en deux sur l'épaisseur sans les couper complètement. Garnir de la moitié du chutney, puis enrouler une tranche de bacon autour de chacune des poitrines de poulet. Fixer avec un cure-dent.

4. Sur la grille chaude et huilée du barbecue, cuire les poitrines de 12 à 14 minutes, en les retournant de temps en temps, jusqu'à ce que l'intérieur de la chair du poulet ait perdu sa teinte rosée. Servir avec le reste du chutney à la mangue.

—

PAR PORTION	
Calories	348
Protéines	35 g
Matières grasses	14 g
Glucides	19 g
Fibres	0,4 g
Fer	1,3 mg
Calcium	22 mg
Sodium	717 mg

J'aime avec...

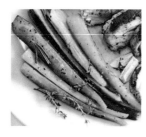

Papillote de carottes aux fines herbes

Couper 12 carottes de couleurs variées sur la longueur. Déposer dans un bol et mélanger avec 30 ml (2 c. à soupe) d'huile d'olive. Saler et poivrer. Déposer sur une feuille de papier d'aluminium avec 1 tige de thym et 1 tige de romarin. Plier le papier de manière à former une papillote étanche. Cuire 15 minutes au barbecue à température moyenne-élevée, jusqu'à ce que la papillote soit gonflée.

Filets de porc à l'érable, ail et gingembre

Préparation : 20 minutes – Marinage : 2 heures – Cuisson : 16 minutes – Quantité : 4 portions

125 ml	(½ tasse) de bouillon de poulet
125 ml	(½ tasse) de sirop d'érable
15 ml	(1 c. à soupe) d'ail haché
15 ml	(1 c. à soupe) de gingembre haché
15 ml	(1 c. à soupe) de cari
1	oignon haché
2	filets de porc de 340 g (¾ de lb) chacun

—

1. Dans un bol, mélanger tous les ingrédients, à l'exception du porc.

2. Verser environ la moitié de la préparation dans un sac hermétique et ajouter les filets de porc. Laisser mariner de 2 à 24 heures au frais. Réserver le reste de la préparation au frais.

3. Au moment de la cuisson, préchauffer le barbecue à puissance moyenne-élevée. Égoutter les filets de porc et jeter la marinade.

4. Sur la grille chaude et huilée du barbecue, déposer les filets et fermer le couvercle. Cuire de 8 à 10 minutes, jusqu'à ce que la température interne de la viande atteigne 68 °C (155 °F) sur un thermomètre à cuisson.

5. Retourner les filets et badigeonner avec la marinade réservée. Cuire de 8 à 10 minutes.

6. Une fois la cuisson terminée, couvrir les filets d'une feuille de papier d'aluminium, sans serrer. Laisser reposer de 8 à 10 minutes avant de trancher.

—

PAR PORTION	
Calories	297
Protéines	37 g
Matières grasses	3 g
Glucides	31 g
Fibres	0,6 g
Fer	3 mg
Calcium	69 mg
Sodium	198 mg

J'aime avec...

Radis au sirop d'érable

Faire sauter 750 ml (3 tasses) de radis coupés en quatre dans 30 ml (2 c. à soupe) d'huile d'olive. Saler et poivrer. Mélanger 60 ml (¼ de tasse) de sirop d'érable avec 15 ml (1 c. à soupe) de jus de citron, 15 ml (1 c. à soupe) de moutarde à l'ancienne et 10 ml (2 c. à thé) de thym haché. Verser dans la casserole contenant les radis et porter à ébullition. Laisser mijoter 2 minutes.

Poitrines de poulet à l'huile piquante et herbes fraîches

Préparation : 10 minutes — **Marinage :** 1 heure
Cuisson : 12 minutes — **Quantité :** 4 portions

5 ml	(1 c. à thé) de sambal oelek
30 ml	(2 c. à soupe) de basilic émincé
30 ml	(2 c. à soupe) de ciboulette hachée
80 ml	(⅓ de tasse) d'huile d'olive
30 ml	(2 c. à soupe) de miel
10 ml	(2 c. à thé) d'ail haché
4	poitrines de poulet sans peau

—

1. Dans un bol, mélanger le sambal oelek avec les fines herbes, l'huile, le miel et l'ail.

2. Verser les deux tiers de l'huile dans un sac hermétique. Ajouter les poitrines de poulet dans le sac et laisser mariner 1 heure au frais. Réserver le reste de l'huile piquante.

3. Au moment de la cuisson, préchauffer le barbecue à puissance moyenne-élevée. Égoutter les poitrines et jeter la marinade.

4. Déposer les poitrines sur la grille chaude et huilée du barbecue et fermer le couvercle. Cuire les poitrines de 6 à 8 minutes de chaque côté, jusqu'à ce que l'intérieur de la chair du poulet ait perdu sa teinte rosée. Servir avec l'huile piquante réservée.

—

PAR PORTION	
Calories	319
Protéines	25 g
Matières grasses	20 g
Glucides	9 g
Fibres	0 g
Fer	1,2 mg
Calcium	17 mg
Sodium	58 mg

J'aime avec...

Salade de tomates à la feta

Dans un saladier, fouetter 15 ml (1 c. à soupe) de moutarde à l'ancienne avec 30 ml (2 c. à soupe) de jus de citron, 80 ml (⅓ de tasse) d'huile d'olive et 30 ml (2 c. à soupe) d'origan haché. Ajouter 250 ml (1 tasse) de feta aux olives coupée en dés et 25 tomates cerises coupées en deux. Poivrer et remuer.

PAR PORTION	
Calories	384
Protéines	42 g
Matières grasses	6 g
Glucides	40 g
Fibres	1,2 g
Fer	2,4 mg
Calcium	61 mg
Sodium	483 mg

Brochettes de poulet et ananas au gingembre

Préparation : 15 minutes — **Marinage :** 2 heures — **Cuisson :** 12 minutes — **Quantité :** 4 portions

15 ml	(1 c. à soupe) de gingembre haché
45 ml	(3 c. à soupe) de sauce soya
125 ml	(½ tasse) de jus d'orange surgelé non dilué
30 ml	(2 c. à soupe) de miel
15 ml	(1 c. à soupe) d'ail haché
½	ananas coupé en huit cubes
1	petit oignon rouge coupé en huit cubes
1	poivron vert coupé en huit cubes
680 g	(1 ½ lb) de poitrines de poulet sans peau coupées en 12 cubes de 2,5 cm (1 po)

—

1. Dans un bol, mélanger le gingembre avec la sauce soya, le jus d'orange, le miel et l'ail.

2. Verser la marinade dans un sac hermétique. Ajouter les ananas, les légumes et le poulet. Laisser mariner de 2 à 8 heures au frais.

3. Au moment de la cuisson, préchauffer le barbecue à puissance moyenne-élevée.

4. Piquer les cubes de poulet, d'ananas et de légumes sur quatre brochettes en les faisant alterner.

5. Sur la grille chaude et huilée du barbecue, déposer les brochettes et fermer le couvercle. Cuire de 12 à 15 minutes, en retournant les brochettes deux fois en cours de cuisson, jusqu'à ce que l'intérieur de la chair du poulet ait perdu sa teinte rosée.

—